# Desapegue-se!
*Como se livrar do que nos tira energia e bem-estar*

# WALTER RISO

## Desapegue-se!
*Como se livrar do que nos tira energia e bem-estar*

Tradução de Célia Regina Rodrigues de Lima

**L&PM** EDITORES

Texto de acordo com a nova ortografia
Título original: *Desapegarse sin anestesia: cómo soltarse de todo aquello que nos quita energía y bienestar*

*Tradução*: Célia Regina Rodrigues de Lima
*Capa*: L&PM Editores. *Ilustração*: © Alberto Ruggieri / Getty Images
*Preparação*: Simone Diefenbach
*Revisão*: Marianne Scholze

CIP-Brasil. Catalogação na publicação
Sindicato Nacional dos Editores de Livros, RJ

R479d

Riso, Walter, 1951-
 Desapegue-se!: como se livrar do que nos tira energia e bem-estar / Walter Riso; tradução Célia Regina Rodrigues de Lima. – 1. ed. – Porto Alegre, RS: L&PM, 2015.
 192 p. ; 21 cm.

 Tradução de: *Desapegarse sin anestesia: cómo soltarse de todo aquello que nos quita energía y bienestar*
 ISBN 978.85.254-3213-1

 1. Autonomia (Psicologia). 2. Técnicas de autoajuda. I. Título.

15-19071
CDD: 158.1
CDU: 159.947

© Walter Riso
c/o Guillermo Schavelzon & Asoc., Agencia Literaria
www.schavelzon.com

Todos os direitos desta edição reservados a L&PM Editores
Rua Comendador Coruja, 314, loja 9 – Floresta – 90.220-180
Porto Alegre – RS – Brasil / Fone: 51.3225.5777 – Fax: 51.3221.5380

Pedidos & Depto. comercial: vendas@lpm.com.br
Fale conosco: info@lpm.com.br
www.lpm.com.br

Impresso no Brasil
Verão de 2015

# Sumário

Introdução ..................................................................... 13
Algumas palavras sobre este livro .................................. 16

**Primeira parte: Definindo conceitos** ............................ 17

Lição 1: Apego e desapego: esclarecimentos e mal-entendidos ... 21
O que é e o que não é apego ........................................... 21
O que entendemos por desapego .................................... 28
Como reconhecer o apego em si mesmo ........................ 34

**Segunda parte: Como identificar o apego e
não se deixar vencer por ele** ........................................... 39

Lição 2: O apego escraviza e destrói a liberdade interior ........ 43
A liberdade não é negociável ........................................... 43
Preso na rede .................................................................... 44
O afrodisíaco do poder ..................................................... 45
Dependências compartilhadas: a dupla opressão ........... 46
A "necessidade" nos escraviza; a "preferência" nos liberta .... 47
A prática do desapego: como recuperar a liberdade interior
  e não deixar que a dependência o domine ................... 50

Lição 3: O apego sempre vem atrelado
a um desejo insaciável........................................................59
A inflação emocional ou o fenômeno da tolerância.............59
"Você me faz falta, muita falta, não sei se sente
o mesmo por mim..."...............................................................60
Body victim................................................................................61
Nosso lado glutão......................................................................63
A arte de transformar um desejo
normal em dor de cabeça........................................................64
Desejos "perigosos" em terreno fértil....................................66
A prática do desapego: como lidar com
os desejos sem cair no apego...................................................68

Lição 4: Não existe apego sem o medo de perdê-lo.................74
No limite....................................................................................74
O apego à espiritualidade........................................................75
A ausência de medo e a felicidade..........................................76
A prática do desapego: como enfrentar
os temores que criam o apego.................................................78

Lição 5: Se você se apegar, perderá a noção de quem é............84
A identidade desorientada......................................................84
O apego a um nome..................................................................86
O apego ao conhecimento.......................................................88
Quem você é, na realidade?.....................................................89
A prática do desapego: como proteger e
resgatar a identidade pessoal..................................................91

Lição 6: O apego é a posse exacerbada.....................................96
O "eu" e o "meu"......................................................................96
Dono de nada............................................................................97

Amar não é possuir ..................................................................... 98
O sentimento de posse nos enfraquece ..................................... 99
A prática do desapego: como se livrar
da necessidade de posse ........................................................... 100

Lição 7: O apego reduz ao mínimo
a capacidade de sentir prazer ................................................... 106
O apego invasor e a redução hedonista ................................... 106
O apego aos filhos ..................................................................... 107
O amante libertado .................................................................... 108
O apego ao tempo e à velocidade (o "agorismo") ................... 109
A prática do desapego: como vencer a redução
hedonista que gera a dependência ........................................... 112

**Terceira parte: Por que nos apegamos?**
**Três portas que conduzem ao apego** ................................... 117

Lição 8: A fraqueza pelo prazer (primeira porta) .................... 121
O processo de apego ao prazer:
versão rápida e versão lenta ..................................................... 121
A imaturidade emocional como
vulnerabilidade ao apego ......................................................... 123
A raiz de todo apego: a ilusão de permanência ...................... 125
A prática do desapego: como derrubar a crença
de um prazer eterno e inesgotável ........................................... 127

Lição 9: Buscar provas de segurança em vez de resolver
os conflitos pessoais (segunda porta) ...................................... 135
A balsa que carregamos nas costas .......................................... 135
O perfeccionismo como sinal de segurança ............................ 136
A dependência das câmaras de bronzeamento ....................... 138

O mito da segurança psicológica ................................................. 139
A prática do desapego: como evitar que os
sentimentos de insegurança nos conduzam ao apego ........ 141

Lição 10: A compulsão por "querer ser mais" (terceira porta) .... 146
O círculo vicioso da ambição ........................................................ 146
A ânsia por ser o melhor ............................................................... 147
O crescimento pessoal como desenvolvimento
sustentável ......................................................................................... 149
O excesso comportamental nunca é saudável ......................... 150
A prática do desapego: como vencer a compulsão
por "querer ser mais" ...................................................................... 152

**Epílogo: Pequenas lições para grandes dependências** ........... 157

**Apêndice: A que nos apegamos?** ........................................................ 161
1. O apego às pessoas a quem amamos ou admiramos ...... 161
2. O apego à aprovação/reputação social ............................... 162
3. O apego às posses materiais e à moda ................................ 163
4. O apego às ideias ....................................................................... 165
5. O apego à virtude ...................................................................... 166
6. O apego às emoções ................................................................. 167
7. O apego ao jogo ......................................................................... 168
8. O apego à perfeição .................................................................. 169
9. O apego ao trabalho ................................................................. 171
10. O apego ao passado e à autoridade ................................... 172
11. O apego à internet .................................................................. 173
12. O apego ao corpo e à beleza ................................................ 174
13. O apego ao dinheiro .............................................................. 176

**Bibliografia e notas** .................................................................................. 179

*Para Ricardo, que anda dando voltas pelo mundo e fazendo das suas.*

*Havia muitos anos, o mestre afirmava
que a vida não passava de ilusão.
Quando seu filho morreu, ele desatou a chorar.
Seus discípulos se aproximaram dele, dizendo:
– Mestre, por que está chorando tanto se sempre
nos garantiu que tudo na vida é ilusão?
– É – respondeu o sábio, enxugando as lágrimas
que lhe escorriam pela face –, ele era
uma ilusão tão bonita!*

CHUANG TZU

*Todos os problemas do mundo se originam no apego.*

Lama Yeshe

# Introdução

Este livro aborda um dos maiores conflitos psicológicos conhecidos: a dependência emocional. Além disso, procura explicar os mecanismos que nos levam a um envolvimento obsessivo com um objeto, uma pessoa ou uma atividade e nos impedem de ter uma vida plena e saudável. Se você acredita que algo ou alguém na sua vida é indispensável para sua felicidade, tem um grave problema pela frente: está sendo dominado. E não me refiro ao ar que respira, à comida que o alimenta ou ao sono que o refaz, mas sim a necessidades secundárias das quais poderia prescindir sem que sua vivência emocional e psicológica fosse afetada de alguma forma. Pessoas realizadas são livres; pessoas apegadas são escravas de suas necessidades. Não importa a fonte do apego, seja fama, poder, beleza, autoridade, aprovação social, internet, jogo, moda ou casamento, o vício psicológico tornará sua vida cada dia mais insalubre: você vai se ajoelhar diante dele, cultuá-lo e viver sempre no limite por medo de perdê-lo. Criar uma relação de dependência significa entregar a alma em troca de *prazer*, *segurança* ou uma duvidosa sensação de *autorrealização*.

Talvez você imagine que não é o seu caso e que conseguiu se afastar das tentações. Não se vanglorie: isso pode acontecer com qualquer um. Quando entra na mente, o apego se instala, e nem sempre é fácil detectá-lo. Muitas pessoas são dependentes emocionais e não se dão conta disso. Estão sempre com uma expressão sofredora e um sorriso forçado, mascarando uma autodestruição psicológica absurda e se deleitando com o autoengano. Porém, não há remédio: o apego nos corrompe, afeta nossa integridade e nos torna cada vez mais fracos.

Você pode alegar que é difícil se desapegar e/ou enfrentar os apegos. Isso é verdade. Entretanto, vale a pena tentar: é possível adotar um estilo de vida inspirado no desapego e sofrer menos. Não importa a que você esteja apegado, sempre poderá se livrar daquilo que o incomoda psicologicamente e começar de novo. Se fizer um esforço, conseguirá criar um estilo de vida antiapego.

Não me refiro a cultivar uma autossuficiência radical ou o isolamento, pois todos nós temos dependências obrigatórias. Se você viaja de avião, depende do piloto; se está numa sala de cirurgia, depende do cirurgião; se frequenta uma universidade, precisa do professor e de um plano de estudo. Dependemos dos adultos quando somos crianças e de um guia se nos perdemos. Sempre haverá dependências razoáveis, úteis e saudáveis. O que acho preocupante e prejudicial é a dependência *irracional, supérflua* e *prescindível*; aquela que não tem mais fundamento que seus próprios medos, inseguranças e carências.

Vamos esclarecer: ser emocionalmente independente (desapegado), no sentido que exponho aqui, não é cultivar uma autonomia egoísta e supervalorizada, mas sim desenvolver a capacidade de ter consciência e prescindir daquilo que impede o aprimoramento pessoal. Esse é o comportamento recomendado por Buda e em grande parte pela psicologia cognitiva moderna: você pode ser livre interiormente, se quiser. O desafio é este: livrar-se das dependências que o impedem de ser você mesmo. Contudo, esse processo de libertação interior não é indolor, como às vezes se insinua. Desapegar-se é assustador e doloroso, porque, ao fazê-lo, você perde grande parte dos pontos de referência com os quais se identificou durante anos. Se decidir emancipar-se emocionalmente, os objetos, pessoas e ideias que supostamente o definiam e lhe serviam de suporte deixarão de ter importância para você. Será um "sofrimento útil" que lhe permitirá olhar-se de frente, sem escudos defensivos nem tensões musculares. E, por mais que procure, não encontrará analgésicos para suavizar os efeitos de despertar para a realidade: *o desapego abala a ordem estabelecida e leva a um crescimento pós-traumático radical.* Você pode alegar que é um simples mortal e não tem nada de transcendental. Não se preocupe: o desapego não é restrito a pessoas especiais ou a um grupo seleto de super-heróis e iluminados; qualquer indivíduo com convicção e motivação suficientes tem acesso a ele. A poetisa escocesa Alice Mackenzie Swaim escreveu:

> A coragem não é o carvalho majestoso
> que vê passar as tempestades;
> é o frágil broto de uma flor
> que se abre na neve.[1]

Desapego sem anestesia, sem desculpas, tão radical quanto possível e até as últimas consequências, seja você um robusto carvalho ou um broto delicado. E, quando finalmente resolver se desligar daquilo que o aprisiona emocionalmente e lhe rouba a energia vital, seu pensamento será tão simples quanto libertador: "Não preciso mais de você, não me interessa mais!". E curta a vida!

## ALGUMAS PALAVRAS SOBRE ESTE LIVRO

A obra se divide em três partes, dez lições e um apêndice. A primeira parte, intitulada *Definindo conceitos*, consta de uma lição introdutória em que se explicam os conceitos de "apego" e "desapego", bem como suas definições incorretas. A segunda parte, *Como identificar o apego e não se deixar vencer por ele*, inclui seis lições que apresentam as características básicas do apego, de que maneira afetam nossa vida e como enfrentá-las. A terceira parte, *Por que nos apegamos? Três portas que conduzem ao apego*, é composta de três lições sobre as causas do apego, os caminhos que levam à dependência e como preveni-la. Por fim, no apêndice, intitulado *A que nos apegamos?*, cito alguns exemplos de apego, muitos deles ainda não classificados, que afetam negativamente as pessoas.

Recorrendo às fontes mais atualizadas da psicologia cognitiva e a diversos textos orientais (principalmente budistas), procurei aliar essas informações à minha experiência clínica. O objetivo deste livro é basicamente pragmático: aprender a viver com menos apegos, conseguir encará-los e identificá-los a tempo. Não é uma obra técnica nem acadêmica, mas sim de divulgação, e por esse motivo tentei usar uma linguagem simples e acessível a todos. Se compreendermos a natureza do apego e como ele se infiltra e atua na mente, poderemos nos livrar dos problemas psicológicos que tanto nos afligem e melhorar nossa qualidade de vida. Espero que os leitores consigam atingir essa meta.

# PRIMEIRA PARTE

## Definindo conceitos

*Converta-se em sua própria luz.*
*Confie em você mesmo:*
*não dependa de ninguém.*

MAHAPARINIBBANA SUTTA

Quem já não sofreu ou ainda sofre inutilmente por estar preso a coisas ou pessoas que lhe sugam a energia e a vontade de viver? Quem já não se perdeu em pensamentos irracionais, criando falsas expectativas de segurança, e depois percebeu que suas ações foram em vão e perigosas? A estratégia fundamental para alcançar o bem--estar emocional consiste em descobrir o que *não é necessário e se livrar disso*, como faz um cachorro quando sai da água e procura se secar. Em seguida, afastar o restante, desvincular-se e dizer adeus com a sabedoria de quem aprendeu o que não lhe faz bem. Encarar a realidade sem se enganar, mesmo que incomode aos mais sonhadores ou provoque desajustes temporários.

O apego ofusca e reduz a capacidade cognitiva, ao passo que o desapego dá paz e ajuda a desatar os nós emocionais que nos impedem de pensar livremente. O primeiro nos afunda, o segundo nos salva.

A primeira lição para o desapego visa a evitar mal-entendidos e esclarecer alguns conceitos que orientarão você nas lições posteriores.

> *O apego corrompe.*
> KRISHNAMURTI

# LIÇÃO 1
## APEGO E DESAPEGO: ESCLARECIMENTOS E MAL-ENTENDIDOS

### O QUE É E O QUE NÃO É APEGO

Naquele que é considerado seu primeiro sermão, ocorrido perto da cidade de Benares (conhecido como "A movimentação da Roda da Lei"), Buda afirmou:

> Esta é a nobre verdade sobre o sofrimento: o nascimento é sofrimento, a velhice é sofrimento, a doença é sofrimento, a convivência com o que odiamos é sofrimento, a separação de quem ou do que amamos é sofrimento, não conseguir o que desejamos é sofrimento... Esta também é a nobre verdade sobre a origem do sofrimento: é a sede que leva a renascer, acompanhada do apego ao prazer, que se diverte aqui e ali, ou seja, a sede do desejo, a sede da existência, a sede da inexistência. E por fim a nobre verdade sobre a renúncia à dor: é a renúncia, o desapego total a essa sede, o ato de abandoná-la, de desprezá-la, de se livrar dela, de não lhe ter mais apego.[2]

Uma crença muito antiga, que se mantém até hoje, é que uma das principais causas do sofrimento mental é a tendência a nos apegarmos às coisas e às pessoas.

Vivemos num mundo cheio de "adesivos" potenciais que nos atam, mas não damos muita atenção a isso. Estamos impregnados de uma ignorância básica que o cérebro não pôde ou não quis vencer ainda. Não importa a classe social, a cultura a que pertencemos ou o nível de inteligência, é difícil para nós compreender profundamente que "nada é para sempre"! Quantas vezes não quisemos manter ou preservar uma coisa que não existe mais ou alguém que foi embora ou não quer ficar conosco! Quanto sofrimento por não sermos realistas e aceitarmos as coisas como são!

Se você acredita que algum desejo, sonho ou meta é *imprescindível, necessário, imperioso* e/ou *determinante* para sua vida psicológica ou emocional, é muito provável que se apegue a ele com toda a força. Por exemplo: se depende do reconhecimento dos outros, sempre agirá para agradar-lhes, identificando-se com a aprovação, e pensará: "Eu sou o que falam de mim" ou "Meu valor está diretamente ligado ao julgamento das pessoas". Essa dependência o fará apegar-se ao que elas dirão e você se esforçará para mantê-la a qualquer custo, mesmo que tenha de se humilhar e ir contra seus princípios. Gostar de estar com os outros é compreensível, mas viver para contentá-los é irracional e insano. Por isso, a maioria dos mestres espirituais afirma que o apego corrompe, pois ele arrasa a pessoa e a leva a agir contra suas crenças mais íntimas para não perder a fonte de dependência.

Antes que você comece a trilhar o caminho do desapego, devo esclarecer algumas questões:

- *O que é apego?* Apego é uma ligação mental e emocional (em geral obsessiva) a objetos, pessoas, atividades, ideias ou sentimentos que se origina na crença irracional de que esse vínculo trará, de maneira única e permanente, *prazer, segurança* e *autorrealização*. Atente para o termo: "permanente" (indestrutível, eterno, imutável, arraigado). Como resultado, a pessoa apegada se convencerá de que sem essa relação estreita (pegajosa ou dependente) não conseguirá ser feliz, alcançar suas metas vitais ou ter uma vida normal e satisfatória. O pensamento central que oprime os dependentes é: "Sem minha fonte de apego não sou nada, ou sou muito pouco", ou "Sem minha fonte de apego não conseguirei sobreviver nem me realizar como pessoa". É impossível viver com tamanho obstáculo. Portanto: *o que define o apego não é tanto o desejo, mas sim a incapacidade de renunciar a ele no momento oportuno*; e pode-se dizer que essa renúncia é fundamental quando o vínculo se torna prejudicial à saúde mental e/ou ao bem-estar de alguém, do mundo e de todos os que nos rodeiam.

- *O conceito de apego varia conforme a cultura?* No Ocidente, o termo "apego" é entendido, em maior ou menor grau, como uma manifestação de carinho ou de afeto por alguém. Também na psicologia seu significado se relaciona a um tipo de vínculo que as crianças estabelecem com seus pais (figuras de *attachment*).[3] Contudo, nas tradições orientais, o apego é visto como a causa principal do sofrimento humano e uma forma de vício.[4] Mais concretamente, os budistas se referem ao impulso básico que leva ao apego como sede, apetite, avidez, identificação, desejo estúpido, ânsia ardente ou amor cego (*tanha*, na língua páli).[5]

Se você não consegue viver sem alguma coisa ou sem alguém, se acha que sua vida só tem significado se estiver vinculada a determinadas relações, precisará se agarrar a elas para assegurá-la (*upadana*, em páli)[6], achando que "é tudo o que você deseja".

- *A que podemos nos apegar?* Praticamente, a qualquer coisa ou acontecimento. Para exemplificar: é possível se apegar ao jogo, às pessoas (pais, filhos, parceiros, amigos), ao sexo, à reputação, à fama, ao reconhecimento, ao consumismo e à moda, às posses materiais, à comida, às ideias e aos pensamentos, ao trabalho, à riqueza, ao poder, ao controle, à virtude, à espiritualidade, ao celular, à internet, ao sofrimento, à comodidade, à felicidade, ao exercício físico, à beleza, ao amor, ao sucesso, a "não perder tempo", ao passado, à tradição, ao parceiro(a), à autoridade e a uma infinidade de outras coisas e situações. A dependência psicológica pode atingir qualquer pessoa e parece não ter limite. Numa sociedade cada vez mais consumista, muitos dos apegos a que me refiro são aceitos pela comunidade e se amparam em diversos tipos de interesse (ver o Apêndice).

- *Desejar é apegar-se?* Não confunda: o desejo não é apego. Segundo Spinoza, "sem o desejo, perderíamos nossa essência", ou, como dizia Aristóteles, "seríamos frios seres pensantes". Desejar, almejar, interessar-se por algo ou alguém é normal, desde que *você não se torne obcecado e esteja preparado para a perda*. Se fuma e curte um cigarro de vez em quando, você é um "fumante social"; mas, se consome três maços por dia, acende um no outro e se desespera quando não pode fumar, o tabaco já o dominou. Comer um pedaço de torta e saboreá-lo é a coisa mais natural do mundo; mas, se sua vontade é devorar o bolo inteiro e sente que precisa comer cada vez mais para se satisfazer, trata-se de um "doce apego". Desejo e apego, sedutor e seduzido: esse é o jogo que deve ser evitado.[7]

- *O apego é um vício?* Sem dúvida. A palavra "vício" aparece várias vezes em muitos textos budistas antigos, dando margem a essa associação. Na verdade, quando Buda falou de apego, nunca pensou em "hobbies" ou "atividades prazerosas" inocentes, mas sim em um tipo de dependência psicológica complexa e perigosa. Se considerarmos que o apego *é uma forma doentia de se relacionar com os desejos*, estaremos muito próximos da ideia de vício de conduta examinada pela psicologia clínica. Para fins didáticos, usarei os termos "apego", "dependência psicológica", "dependência emocional", "dependência" ou "vício" como variantes e sinônimos, tendo em mente as diferenças conceituais que existem entre eles do ponto de vista técnico.

Falar em "vício" provoca um choque em muita gente e leva os especialistas a organizar campanhas de prevenção. Contudo, quando nos referimos a "apego", ninguém faz nada; ao contrário, o que se vê é uma atitude complacente. "Ah, é um simples apego!", costuma-se dizer. Mas não existem apegos "simples", todos são dolorosos e afetam a saúde mental. Por exemplo: o apego à "moda" (não classificado) é tão difícil de superar quanto a "compra compulsiva" (vício classificado); o apego ao "próprio corpo" (não classificado) é tão prejudicial quanto o vício em exercício físico (classificado); o apego ao "poder/dinheiro" (não classificado) é tão contraproducente como a compulsão por "trabalho" (classificada). Apesar do que dizem os especialistas, se você está apegado a algo ou a alguém, conforme dita o budismo ou a psicologia cognitiva, é bem provável que sofra de algum tipo de "vício comportamental" ou "abuso" sem substâncias químicas, mesmo que não preencha os critérios diagnósticos de uma dependência com maiúsculas.[8]

Analisemos um caso de apego a cirurgias estéticas: Josefina era uma mulher de 22 anos, filha única de uma família muito abastada. Procurou ajuda porque não sabia como se relacionar com os homens, uma vez que nenhum estava à sua altura. Até os treze anos fora obesa, mas com o tempo conseguiu emagrecer com uma dieta severa. A partir daí, sua autoestima melhorou consideravelmente, ela passou a ter vida social e a sair com garotos. Aos dezessete anos, apaixonou-se por um jovem sedutor que a traiu várias vezes. Esse amor não recíproco a deixou deprimida, o que a induziu a engordar novamente, até beirar os cem quilos. Então um médico a convenceu a fazer uma cirurgia bariátrica. Foi um sucesso. Ao completar vinte anos, era uma mulher simplesmente atraente e admirada por sua beleza. Certa vez, em uma sessão de terapia, ela me disse: "Este é o momento mais feliz da minha vida; pela primeira vez, as pessoas me admiram e me amam". A supervalorização da beleza já se tornara um hábito para ela: o dia todo, só pensava em sua aparência física, olhava-se detalhadamente em busca de defeitos, fazia ginástica de quatro a cinco horas por dia, avaliava as pessoas por seu grau de feiura, temia envelhecer prematuramente, apresentava sintomas de anorexia e consultava esteticistas com frequência. Além disso, gastava cada vez mais dinheiro com roupas, relaxara totalmente nos estudos e afastara-se da família. Chegou a fazer onze cirurgias estéticas em um ano, transformando-se numa "paciente cirúrgica insaciável" (apego a cirurgias plásticas), termo técnico para indicar as pessoas que, devido a distorções cognitivas, sentem uma constante necessidade de corrigir ou melhorar algum detalhe do corpo. Também passara por uma série de tratamentos, como o Thermage, a terapia muscular Ultratone e a mesoterapia; três vezes por semana, ia a algum centro de beleza ou spa, e só conversava sobre a aparência física, o que afastava os outros, que a julgavam superficial, vaidosa e egocêntrica.

Sua vida era estressante, pois tinha de se manter num patamar estético extremamente exigente, caso contrário entrava em profunda depressão, com tendências suicidas. Certa vez me confessou: "Não quero ser atraente, quero ser bonita, a mais bonita de todas, senão não me interessa viver". Se ela encontrava alguma mulher mais bela, consumia-se de ódio, a ponto de não dormir pensando no que devia fazer para vencer sua suposta "rival". Às vezes, tomava consciência de como estava se destruindo, mas logo voltava à rotina sinistra de se embelezar de maneira obsessiva; não conseguia parar. Sua mente criara uma necessidade irracional e inatingível que se alimentava de três fontes: o *prazer* de sentir-se bela (nem que fosse por alguns dias ou horas), a centralização de sua *segurança psicológica* no aspecto físico (uma maneira de compensar temores e déficits anteriores) e a crença de que seu corpo, moldado e aperfeiçoado, era uma forma de *autorrealização*. Seu valor pessoal dependia de sua aparência, e isso lhe acarretava grande frustração existencial, pois, mais cedo ou mais tarde, as marcas da idade se revelariam. Precisava investir cada vez mais energia para parecer igual e dissimular o inevitável.

Um belo dia, ela parou de ir à terapia. Depois de alguns meses, soube que ela se submetera a uma cirurgia facial, completamente desnecessária, que resultara numa paralisia facial. A partir daí se isolou em casa para evitar que a vissem. Segundo seus pais, ela tentou suicidar-se. O apego é como uma bola de neve: destrói tudo e leva as pessoas a fazer as coisas mais loucas e perigosas para alcançar uma felicidade irracional e efêmera.

## O QUE ENTENDEMOS POR DESAPEGO

Algumas pessoas acham que ser "desapegado" é não ter desejo nem necessidade de nada, anular seus objetivos pessoais e não sentir afeto de nenhum tipo. Isso é totalmente errado: ser desapegado não é estar morto. Como disse o budista Matthieu Ricard, referindo-se à dependência afetiva[9]: "Não ser apegado não significa que gostemos menos de uma pessoa, mas sim que não nos preocupamos com a relação...". Este é o segredo: despreocupação e ausência de ansiedade, seja qual for a espécie de vínculo. O desapego se baseia em uma *filosofia do desprendimento*, que nada mais é do que a vontade de ser mais livre no âmbito psicológico.

Um peregrino que renunciara a todos os bens materiais (*sannyasi*) instalou-se nas proximidades de uma aldeia e acampou sob uma árvore para passar a noite. De repente, um habitante do lugar se aproximou e pediu que ele lhe entregasse a joia que guardava, esclarecendo: "O senhor Shiva apareceu nos meus sonhos e afirmou que, nos arredores da aldeia, eu encontraria um ser iluminado que me daria uma pedra preciosa, tornando-me rico para sempre". O peregrino procurou em seu alforje, tirou um diamante e lhe entregou, dizendo: "Deve ser esta". O aldeão pegou a pedra, admirado com seu tamanho. "Sou o homem mais rico do mundo", gritou de alegria, afastando-se. Mas, ao se deitar, não conseguiu dormir. Passou a noite se revirando na cama, com uma ideia fixa que lhe tirava a paz. No dia seguinte, assim que amanheceu, foi acordar o peregrino, que dormia embaixo da árvore, e declarou: "Eu quero a verdadeira riqueza, aquela que lhe permitiu desfazer-se do diamante com tanta facilidade".[10]

Se eu possuo algo, tudo bem; se não possuo, tudo bem também. É tão fácil e tão difícil ao mesmo tempo! Separar-se daquilo que nos prende de maneira irracional ou de que não precisamos, embora não percebamos isso. Livrar-se dos exageros, das coisas que não nos fazem bem; ser nós mesmos a cada instante, a cada pulsação, de maneira que nada nem ninguém roube nossa essência e destrua nossos sonhos.

Os tópicos a seguir o ajudarão a entender melhor o que é o desapego:

- *O que significa ser desapegado?* No Ocidente, a palavra "desapego" em geral é associada a algo negativo: indiferença, desinteresse ou desamor, quando, na realidade, o significado original budista, no qual me concentrarei neste livro, tem um sentido de libertação e positividade: *desprender-se da avidez e/ou desistir do que nos magoa; emancipar-se ou livrar-se do desejo insano.*[11]

Em alguns textos orientais, o desapego também pode ser entendido como não apego e não dependência.[12]

Desapegar-se (*vairagya*, em sânscrito)[13] é desfrutar as coisas sabendo que são transitórias e assumir um estilo de vida baseado na *independência emocional* (não posse). Para isso, devemos ter em mente que não precisamos criar uma falsa identidade para ter uma vida plena. O que define o desapego não é o tipo de conduta, sua frequência ou sua topografia, mas sim o modo como nos relacionamos com nossas fontes de *prazer, segurança e realização pessoal*. Se nos prepararmos para a perda, mesmo que estejamos felizes e dedicados, poderemos dizer que somos desapegados. Ou, em outras palavras: se não criarmos ligações obsessivas e ansiosas, seremos emocionalmente independentes.

- *O que significa ser psicologicamente independente?* Somos dependentes de um objeto ou de uma pessoa quando pensamos: "Se eu o perder, minha vida não terá mais sentido". E somos emancipados (independentes) ou desapegados quando pensamos: "Se eu conseguir o que quero, vou aproveitar enquanto for possível, mas, caso não dê certo, não será o fim do mundo, a vida continua, mesmo que eu sofra". Quando somos independentes, seguimos em frente, sem nos deixarmos abater pela perda, simplesmente seguimos adiante.

  Ser "independente" não implica ser compassivo ou afastar-se das pessoas. Amar os outros com desapego/autonomia é agir com respeito e liberdade. É possível se interessar por alguém sem se escravizar nem anular o próprio valor; basta manter a dignidade. Só podemos dar aos outros se valorizarmos a nós mesmos. Como oferecer o que não temos?

  Não se trata de prescindir das pessoas, mas sim de se aproximar delas sem ofendê-las nem se ofender, sem ser servil, sem medo, sem humilhação, sem a carga da dependência.

- *Ser desapegado é ser irresponsável?* Desapego não significa "falta de compromisso" com o que alguém faz ou diz. Não é lavar as mãos. Podemos ser responsáveis sem sentir angústia ou culpa antes da hora. O *Bhagavat Gita* (um texto sagrado hinduísta considerado um dos clássicos mais importantes do mundo), há 2.600 anos, afirma em um de seus versos:

Quem se mostra sempre satisfeito e não depende de nada, por não estar apegado ao fruto de suas obras, mesmo que esteja comprometido com elas, não precisa se escravizar.[14]

"Não estar apegado ao fruto de suas obras..." Haverá algo mais próximo da paz interior? Comprometer-se não é se escravizar nem se vender a quem oferece melhor preço. A ordem do desapego é a seguinte: *é proibida a escravidão mental, além da física*. E devemos resistir a qualquer coisa que destrua nossa dignidade ou nos leve à submissão emocional, ou seja: não aceitar nada que nos roube a capacidade de pensar e de sentir o que bem entendermos.

- *Para me livrar dos apegos, preciso levar uma vida de monge ou ser membro de alguma religião?* As pessoas desapegadas ou psicologicamente independentes do século XXI andam pela rua como qualquer um, não usam roupa especial, não levitam nem são profetas, fazem amor com criatividade, gostam de comer bem, vão a festas, dirigem automóveis, casam-se ou separam-se, discutem e desaparecem, defendem seus direitos, tomam partido, praticam esportes, enfim: não se parecem muito com um asceta consumado da velha guarda (embora costumem simpatizar com os preceitos antigos). Ainda que algumas pessoas decidam levar uma vida monástica inspirada no desapego – o que é muito respeitável –, não é necessário fazê-lo para ter uma existência não apegada e plena de bem-estar. Se você não é um ser transcendente que vive além do bem e do mal, terá de aprender a se desapegar carregando nas costas sua bela e terrível humanidade.

Vejamos um caso de desapego ao trabalho:

Um paciente sofria de um forte vício em trabalho (*workaholic*). Para ele, trabalhar era a coisa mais importante do mundo e o que dava sentido e motivação à sua vida. Não conseguia parar (sua carga diária era de catorze horas, até nos fins de semana). Quando pensava em tirar férias, ficava estressado e sentia-se "pouco produtivo", chegando a se deprimir com a ideia de que estava "perdendo tempo". Fora do escritório, nada o divertia ou parecia interessá-lo. Como resultado, afastara-se da mulher e dos filhos adolescentes, que cobravam cada vez mais sua presença. Identificava-se profundamente com seus afazeres ("O trabalho é tudo para mim, minha razão de viver") e, quando alguém interferia em suas funções na empresa, parecia um leão defendendo seu território ("Isso me pertence por direito, passei anos montando minha equipe, e ninguém poderá tirá-la de mim"). Como a ansiedade, a insônia, as dores nas costas e a tensão psicológica passaram a incomodá-lo muito, decidiu pedir ajuda, mesmo que a contragosto. Ao chegar à consulta, apresentou a mesma queixa de todos os pacientes em casos de vício/dependência: "Quero me livrar dos sintomas, mas, quanto ao mais, prefiro deixar como está". Isso é impossível, pois o problema afeta todo o estilo de vida da pessoa.

Certo dia, seu filho mais novo foi diagnosticado com um tumor cerebral, que, embora não fosse maligno, teria de ser extirpado com uma cirurgia de alto risco. O homem ficou profundamente impressionado, sendo obrigado a cair na realidade. Antes de entrar na sala de cirurgia, o jovem lhe fez um pedido: "Por favor, papai, não trabalhe tanto, eu quase não vejo você". Felizmente, a operação foi um sucesso. Porém, meu paciente já não era o mesmo. Certa vez, ele me disse: "Quero mudar... As palavras do meu filho ainda ressoam na minha mente... O olhar dele está cravado em minha alma... Ajude-me...". O primeiro passo para o desapego já fora dado: *humildade e motivação para a mudança.*

Logo ele me perguntou: "O que devo fazer? Parar de trabalhar, desistir, procurar outra atividade? O que sugere que eu faça?".

Eu respondi que a solução não era desistir, ele devia continuar trabalhando, mas de outra maneira: "As pessoas sem dependência curtem suas atividades no emprego e são tão produtivas (ou mais) quanto as viciadas em trabalho; além disso, não negligenciam as outras áreas da vida. Você precisa trabalhar sem exagero e entender que a vida não se reduz a estar vinculado a uma empresa e ter dinheiro, sucesso, poder ou o que quer que seja".

A seguir, apresento uma lista sucinta de algumas atividades terapêuticas que utilizei com ele para livrá-lo de seus antigos valores.

- Diferenciar paixão amorosa de paixão obsessiva (ver lição 3).
- Entender o sentido da não permanência das coisas e aplicá-lo à vida cotidiana (ver lição 8).
- Reavaliar o conceito de que "o trabalho define uma pessoa" (ver lição 5).
- Mudar os valores: "O valor de uma pessoa não se mede pelo que ela possui nem por seus sucessos" (ver lição 6).
- Aprender a matar o tempo, passear, aventurar-se ou sair de férias (ver lição 7).
- Lidar com a incerteza (ver Apêndice).
- Buscar um sentido mais espiritual para a vida (ver lição 10).
- Aceitar o pior que possa acontecer (ver lição 4).
- Aprender a conversar consigo mesmo e a "falar cara a cara com o desejo" (ver lição 2).

O que aconteceu com meu paciente? Sua nova maneira de viver lhe trouxe vantagens. Ele descobriu que podia ganhar o mesmo sem tanta angústia e estresse. Começou a conviver mais com a família, e os momentos de descanso deixaram de ser uma tortura. Um dia, o presidente da empresa o chamou e comentou que ele parecia menos motivado do que antes. Meu paciente se limitou a dizer: "Continuo a cumprir meus objetivos com o mesmo entusiasmo, mas de modo mais relaxado, sem estresse nem obsessão". Seus superiores não gostaram muito daquela mudança de atitude; no entanto, ao verem os bons resultados, aceitaram a ideia de ter um executivo normal em vez de um obcecado por trabalho.

O processo para alcançar o desapego varia de pessoa para pessoa. Há indivíduos que só ao perceber a irracionalidade do apego (lendo os ensinamentos básicos de Buda ou os princípios da psicologia cognitiva) já se transformam radicalmente, ao passo que outros precisam de várias estratégias psicológicas para se livrar da dependência. No caso do meu paciente, não foi suficiente "compreender os princípios"; ele teve de "trabalhar" muito na terapia para conseguir uma mudança significativa. Ao longo do livro, apresentarei muitos processos e técnicas para se desapegar. Contudo, o mais importante é encontrar uma fonte de motivação para mudar. Esse é o empurrão inicial que nos faz despertar e descobrir que algo está errado. "Cansei de depender de você, seja uma coisa, atividade ou pessoa. Quero mudar e ter o direito de tentar ser feliz por mim mesmo." Segundo o mestre Taisen Deshimaru, "despertar significa mudar de valores". Uma mistura de revolução e evolução.

## COMO RECONHECER O APEGO EM SI MESMO

Existem seis manifestações típicas que definem o apego. Se você apresenta algum desses sintomas, é possível que já esteja enredado com algo ou alguém de modo inadequado.

- Sintoma 1: tendência a negociar a liberdade (*autonomia restrita*).
Se você tem um apego, não é dono de suas ações. Está sob a direção e o domínio de algo ou alguém que age como um amo, e você se comporta como um escravo obediente e enfeitiçado. Acabará perdendo a liberdade interior e a capacidade de decisão, como se tivesse vendido a alma ao diabo. O apego é uma doença que nos suga toda a energia vital.
- Sintoma 2: impulso incontrolável em relação a algo ou alguém (*desejo insaciável*).
Você nunca está satisfeito, seja porque quer preencher um vazio impossível de preencher, seja porque não pode ter o objeto/pessoa de seu apego sempre que tem vontade. Sua sede é inextinguível: quanto mais recebe, mais deseja. Chegará um momento em que o alívio de não o perder será mais determinante que o prazer de possuí-lo. A felicidade inicial se transformará em dor.
- Sintoma 3: medo de perder a fonte do apego (*ansiedade antecipatória da perda*).
Se você acha que a sua fonte de apego é a principal razão da sua existência, é natural que sinta medo de perdê-la. A ansiedade antecipatória é uma carga inevitável. Você estará alerta a qualquer indício de que possa haver uma ruptura do vínculo. Para vencer o apego, é preciso estar aberto à renúncia e aceitar o pior. Mas como isso é possível se o medo encobre a razão?
- Sintoma 4: identidade desorientada (*déficit de autoconhecimento*).
Quem passa muito tempo ligado a uma atividade, um bem material ou uma pessoa não sabe na verdade quem é: anda

perdido e não encontra a si mesmo. Os dependentes se entregam tanto à fonte de apego que perdem o contato com seu "eu" autêntico. Talvez você não se lembre de como era antes de se tornar apegado, mas, se procurar com afinco em seu interior, voltará a se encontrar e a se reconhecer.

- Sintoma 5: instinto de posse exacerbado em relação a algo ou alguém (*necessidade de apoderar-se ou apropriar-se*).

A necessidade de posse e a perda de identidade andam de mãos dadas. A ansiedade de possuir transforma aquilo que se deseja em uma extensão pessoal. Quando o "meu" se apodera do "eu", se torna monopolizador e quer tudo. A necessidade de se apropriar das coisas ou das pessoas leva a um esgotamento profundo. Como direi mais adiante, ter não é possuir. Se você imaginar que as coisas são para sempre, sua dificuldade de lidar com a frustração aumentará.

- Sintoma 6: restrição da capacidade de perceber a causa do apego (*redução hedonista*).

Sua experiência vital ficará extremamente limitada, porque a fonte de apego absorverá toda a sua energia e capacidade de usufruto. Você só terá atenção e fôlego para a manutenção do seu vínculo de dependência e não sentirá nem verá mais nada: estará preso a uma redução hedonista cada vez maior. Tudo o que lhe interessará será sua fonte de apego. Se conseguir se desapegar, descobrirá que havia um mundo vivo e palpitante ao seu redor que lhe passara despercebido.

Nos capítulos seguintes, analisarei profundamente cada um desses sintomas, além de outros relacionados a eles, para que você possa tirar suas conclusões e começar a se desligar. Não desanime, pois talvez o bem-estar esteja mais acessível do que você imagina. A simples vontade de se soltar e abandonar o estilo de vida dependente o fará sentir-se melhor e mais seguro. Você descobrirá um mundo interior que é todo seu.

# SEGUNDA PARTE

## Como identificar o apego e não se deixar vencer por ele

*Não te rendas, por favor, não cedas,*
*Ainda que o frio queime,*
*Ainda que o medo morda,*
*Ainda que o sol se esconda,*
*E o vento se cale,*
*Ainda existe fogo na tua alma,*
*Ainda existe vida nos teus sonhos.*

MARIO BENEDETTI

O apego é sofrimento, não importa como o pintemos ou dissimulemos. Se a dependência entrar em sua vida, o desejo nunca será suficiente para realizar seus objetivos, você sempre vai querer mais e estranhar quando a fonte de apego não estiver presente. Algumas pessoas dependentes justificam seu comportamento afirmando: "Não faz mal, pelo menos aproveitei". Mas a questão não é tão simples assim. Como mostrarei adiante, o prazer originado do apego inicialmente sempre acaba se transformando em dor crônica. Apegar-se é anular sua dignidade pouco a pouco, é perder o rumo achando que está no caminho certo. As seis lições desta segunda parte visam a abrir sua mente para que recupere o bom senso e saia da inércia que gera o apego.

*Se não tens liberdade interior,
que outra liberdade esperas ter?*

Arturo Graf

# Lição 2
## O APEGO ESCRAVIZA E DESTRÓI A LIBERDADE INTERIOR

**A LIBERDADE NÃO É NEGOCIÁVEL**

Se você é vítima de apego, chegará o momento em que a perda da liberdade afligirá sua vida.[15] Talvez o prazer e a euforia inicial não lhe permitam ver isso com clareza, mas, mais cedo do que imagina, a fonte de apego controlará sua existência. Você dirá, como um autômato: "Tudo o que eu faço é por você" e fará qualquer coisa para manter ao seu lado o objeto ou a pessoa: se arrastará, suplicará, perderá tempo e energia e até se iludirá buscando as vantagens de ser um "bom escravo". Os budistas acreditam que um passo importante para a libertação psicológica é entender que, na realidade, *você escolhe seus amos e é vítima de sua própria criação*.

Um jovem noviço perguntou a seu mestre zen: "Por favor, como posso me libertar das minhas amarras?". O mestre disse: "Quem o amarrou?". O aluno respondeu: "Ninguém". Então, o mestre lhe disse: "Se ninguém o amarrou, na verdade você é livre. Por que quer se libertar?".[16]

Se você acha que não pode viver sem isto ou aquilo, está mal (e não me refiro às necessidades básicas fisiológicas ou psicológicas, como veremos adiante). Permitir que algo ou alguém o domine e se apodere de sua mente é uma forma de suicídio psicológico. Não importa quão famoso ou aceito socialmente seja o amo, ele manipulará sua vida a seu bel-prazer, e você será seu escravo. Todos os apegos têm a mesma dinâmica, seja uma barra de chocolate, seja tornar-se célebre: se você não for capaz de viver sem isso, estará psicologicamente limitado. Repito: mesmo que seja um bom amo, aquilo que o domina acabará por levá-lo ao fundo do poço.

Por que uso a palavra "escravo"? Porque, uma vez que a dependência se infiltre em sua mente, você se tornará acorrentado e será muito difícil renunciar aos efeitos prazerosos do apego ou afastar-se dele quando preciso. Seus movimentos se restringirão e seus pensamentos e emoções ficarão condicionados às oscilações das quais dependa: até para respirar você pedirá permissão. Lembre-se de que o desejo, por si só, não é apego: este implica a prisão, a obsessão, a incapacidade de renunciar a ele. Uma antiga canção romântica dizia: "Não existe maior liberdade do que estar preso a um coração". Pura bobagem: estar preso é estar preso. Você será um escravo feliz, mas sempre um escravo. A dependência, com ou sem droga, é uma patologia da liberdade: *estar possuído por seus bens materiais, estar apegado a seus desejos insaciáveis.*

## Preso na rede

Você já foi seduzido pela internet? Sim? Então já deve ter percebido que sua mente se torna mais pesada e menos lúcida diante da realidade.[17] Você inspira e expira dados, funde-se na tela e faz amor virtualmente com pessoas virtuais (sem odor, sem suor, sem tato). Não é de admirar que, para muita gente, a felicidade seja medida pela quantidade de megas. Os viciados na rede vivem felizes até que caia o sinal. Quando isso acontece, há uma paralisação básica de suas funções cognitivas e afetivas. A dosagem da droga informática desaparece no ar, literalmente, e dá lugar à síndrome do "desconectado" ou "desplugado" (*unplugged*): incerteza, perda de controle, nostalgia tecnológica e fenômeno de espera, tudo junto e misturado.[18] E, se o servidor não volta a funcionar logo, a crise vai aumentando e os afetados revelam uma incrível incapacidade para aproveitar o tempo disponível. O que faz um escravo com o livre-arbítrio se nem sequer sabe o que é isso? Ele se assusta. Ter medo da liberdade, dizia Erich Fromm, é ter de cuidar de alguém sem saber como. A desconexão contínua da rede gera no viciado em internet uma dúvida existencial angustiante: "O que posso fazer com o mundo real?".

Pesquisas revelam que os sintomas psiquiátricos dos adolescentes viciados em internet são muito parecidos com os dos jovens que consomem compulsivamente substâncias químicas.[19] Embora os amos sejam diferentes, a escravidão complacente é a mesma: "Faça de mim o que quiser, mas não me abandone". Certo dia, li em algum lugar: "Um senhor chega a um consultório médico e descreve seus sintomas: 'Não sei o que acontece, doutor: não consigo levantar a cabeça, rio sozinho, não me comunico com ninguém, as pessoas falam comigo e não presto atenção... Estou preocupado, o que acha que eu tenho?'. O médico pensa por um momento e diz: 'Um smartphone!'".

## O AFRODISÍACO DO PODER

Analisemos agora as pessoas apegadas ao poder, que em geral têm cargos políticos ou funções empresariais importantes (você certamente conhece alguém que se enquadra nesse exemplo). Uma primeira impressão nos levaria a concluir que essas figuras que ostentam o poder são independentes e totalmente livres. Ledo engano! O viciado em poder é prisioneiro de sua ânsia não apenas por dar ordens, dirigir e influenciar os outros, como também por ter subalternos a quem comandar: *para que haja uma supremacia declarada, é preciso haver alguém que aceite ser submetido à obediência.*[20] A pior coisa para quem deseja ser "amo" é carecer de "escravos". O drama do patrão é que ele precisa e depende do subalterno para realizar sua fantasia de superioridade. Na relação entre um "dominador" e um "dependente", o vínculo acaba sendo uma mescla sadomasoquista de intenso poder. Felizmente, esse é um laço indissolúvel: não pode haver vítima sem algoz. *O viciado em poder precisa ter em quem mandar; por esse motivo, é escravo de seus escravos.*

Seja como for, se você achar que algo é imprescindível para sua realização, felicidade ou sobrevivência, quando na verdade não é, ficará fraco interiormente e sua resistência baixará. Torça para que seus inimigos não descubram suas necessidades psicológicas e emocionais, senão farão picadinho de você.

### Dependências compartilhadas: a dupla opressão

A maioria dos apegados, embora nem sempre se dê conta disso, vive uma expectativa enganosa. *A pessoa dependente geralmente acha que sua fonte de apego também está ligada a ela.* Cada um com sua loucura. A ilusão secreta que embala os corações apegados é que, para uma relação ser perfeita, é preciso haver duas "dependências dependentes". Eles gostariam mais ainda se os objetos de seu apego lhes confessassem suas fantasias simbióticas. Seria incrível se um cigarro pudesse dizer a quem o fuma: "Não sou nada se você não me tragar!", "Aspire-me, por favor!",

"Leve-me até o cérebro!". Imagine o prazer imenso que o viciado sentiria com isso! Mas é só uma fantasia, um sonho que nos leva ao delírio de uma escravidão correspondida.

Contudo, a ilusão pode se tornar realidade quando a fonte de apego são seres vivos. O cachorro que você ama, do qual cuida e que se tornou imprescindível para você, o recebe em casa no fim do dia, abana o rabo, faz graça, late, lambe seu rosto; enfim, ele lhe corresponde e faz você sentir o "apego canino". Com os seres humanos, o vínculo de reciprocidade é mais forte graças à linguagem. A outra pessoa pode lhe dizer abertamente, sem rodeios: "Eu sou seu!" ou "Eu sou sua!". E, se você responde: "Eu também sou seu" ou "Eu também sou sua", a fantasia se torna realidade e estouram os fogos de artifício; um só coração, uma só alma, uma só corrente. Conclusão: o sonho de todo apegado é que sua fonte de apego também seja dependente dele! Uma senhora me disse certa vez: "Estou feliz, porque meu marido sofre por mim mais do que eu sofro por ele!".

## A "necessidade" nos escraviza; a "preferência" nos liberta

No *Udana* (antigo texto budista), encontramos estas palavras, atribuídas a Buda:

> De que serve um poço
> Se existe água por toda parte?
> O que resta para buscar
> Se for cortada a raiz do desejo?[21]

Se não tenho sede, para que serve um poço de água? Se não há desejo, não há nada para buscar, nada para decidir, nada para saciar. E, se não sinto apego, não há nada para cortar, nada para manter.

Por exemplo: se você sente necessidade de andar na moda e se embelezar para ser admirado por todos, vai procurar seguir desesperadamente as últimas tendências, pensando: "Não posso me descuidar, senão ficarei para trás". Mas, se as novidades da temporada não o atraem ou você não está nem um pouco preocupado com isso, a moda não será um problema (para que serve o poço de água?). Se você é vítima da *necessidade de controle*, vai se esforçar para não deixar nada nas mãos do destino e evitará a incerteza a todo custo. Mas, a partir do momento em que aceitar o pior e conseguir deixar o barco correr sem se importar com as consequências, a busca da certeza deixará de ser vital (para que serve o poço de água se não tenho sede?).

Quando você está bem consigo mesmo (autoaceitação), as necessidades psicológicas e emocionais não são muitas, as carências não o perturbam tanto e você é envolvido por uma agradável sensação de leveza e naturalidade. O mestre zen Taisen Deshimaru afirma o seguinte sobre o assunto:

> Quando abandonar tudo, despojar-se de tudo
> e se livrar da consciência pessoal, nesse momento
> você será Deus ou Buda. Quando tudo
> estiver acabado, não existirá mais nenhuma contradição.[22]

Naturalmente, existem as necessidades primárias e de adaptação ligadas à sobrevivência, sejam biológicas (respirar, comer, dormir), sejam psicológicas (desenvolver nosso potencial, amar), das quais não podemos prescindir para sobreviver.[23]

Como lidar com as necessidades em geral (inatas ou criadas pelo consumismo) sem que elas nos dominem e acabemos dependentes delas? Em primeiro lugar, devemos orientá-las, redefini-las sob uma nova perspectiva e situá-las em outro esquema. Dar-lhes o status de "preferências", e não de impulso cego e imperativo.²⁴ E isso não é um mero jogo de palavras. O apaixonado pergunta: "Você precisa de mim, amor?", e ela responde: "Não, eu prefiro você", que é a mesma coisa que dizer: "Eu escolho estar com você". "Precisar" de algo ou de alguém significa não poder viver sem ele; "preferi-lo" implica tê-lo escolhido entre outras opções disponíveis. Não são a carência, o vazio, a escassez ou a privação que decidem, mas sim o amor dedicado a si próprio.

Essa seleção pode se basear em dois preceitos opostos, um positivo e outro negativo. "Eu escolho você e me alegro" (embora possa perdê-lo, porque você não é imprescindível para minha vida) ou "Eu preciso de você e sofro" (não suportaria perdê-lo, pois você é indispensável para minha vida). Se não existisse a preferência, a carência/necessidade nos dominaria e seríamos cada dia mais primitivos. Apesar de tudo, é possível controlar o impulso inicial da necessidade e mantê-lo dentro de certos limites. Vejamos um exemplo. Se você pensa: "É *absolutamente necessário* (imprescindível, obrigatório) que eu seja o melhor em tudo o que faço", logo ficará frustrado, pois sempre haverá alguém que o supere em algum aspecto, e seu ego não suportará. A necessidade imperiosa de sobressair-se leva, incontestavelmente, ao pensamento dicotômico: "Ou sou o melhor, ou não sou nada" (sentimentos de euforia ou de tristeza). Por outro lado, se você pensar: "Eu *preferiria* ser o melhor, mas, como não consigo chegar lá, aceito estar entre os que se destacam", o leque de possibilidades se ampliará e a autoexigência irracional diminuirá. O "tenho que" deixará de ser uma condição irrevogável para alcançar o bem-estar. E, se você quiser ir um pouco mais além, poderá manter o seguinte diálogo interior: "Eu *prefeririria* ser o melhor; porém, o mais importante é estar satisfeito comigo mesmo: não *preciso* competir e ganhar para me sentir bem". Quanto menos necessidades tiver, mais livre será e menos coisas terá para cuidar e manter. Guarde bem esta mensagem: *as pessoas mais saudáveis e felizes são aquelas que se deixam levar muito mais por suas preferências do que por suas carências/necessidades.*

## A PRÁTICA DO DESAPEGO: COMO RECUPERAR A LIBERDADE INTERIOR E NÃO DEIXAR QUE A DEPENDÊNCIA O DOMINE

**1. Ative o Espártaco que existe em você**

Tornar-se independente psicologicamente significa prescindir do vínculo de apego e deixar de ser prisioneiro de algo ou de alguém. Para isso, você tem de abraçar a solidão e reduzir os desejos nocivos que o dominam: um toque ascético e atrevido. Está disposto? Para a pessoa dependente, o simples fato de pensar em se desapegar dá calafrios. Apesar das boas intenções, não é fácil se libertar quando se está acostumado com a referência, a proteção e a fonte de prazer/afeto. Para conseguir isso, precisamos de estratégias, técnicas e uma determinação profunda. Quem é apegado perde a bússola interior que o norteia. No *Dhammapada* (texto sagrado do budismo antigo), pode-se ler:

> Na verdade, é você mesmo quem se destrói, é você mesmo quem se suja. É você mesmo quem evita o mal ou se purifica. A pureza e a impureza mentais dependem de cada um, são pessoais, e ninguém pode purificar o outro.[25]

Infelizmente, quem é apegado tem algo difícil a aprender: *é você mesmo quem se faz mal*. Se você é dependente, ao menor sinal correrá mansamente atrás de sua fonte de apego, assim como um bezerro recém-nascido vai atrás da vaca. O que fazer então? É possível recorrer a uma das técnicas mais contundentes da sabedoria antiga, que perdurou por milhares de anos: *não ligar a mínima para seu "amo"*. Reverter a ferramenta de busca. Mostrar uma despreocupação descarada, indiferença total, tentando se convencer de uma coisa: "Se eu conseguir ficar sem você, você perderá todo o poder sobre mim e por consequência serei livre". As pessoas se cansam de se sujeitar aos outros. De repente, como um peixe que salta da rede inesperadamente, você voltará a seu ambiente natural. Isso não significa que tenha de se afastar sempre daquilo que quer; o importante é não passar por cima de seus princípios: "Viver sem patrão".

Se você quer se livrar da fonte de apego, deve pensar o seguinte: "Não me importa mais o que você me dá, não estou nem um pouco preocupado com isso". Um escravo livre e sem culpa é duplamente libertado. Não precisa criar nenhum alarde nem tentar conscientizar toda a sociedade; é melhor ser um guerreiro silencioso, tão sigiloso quando puder, porque o trabalho é interior. Quando for capaz de dizer honestamente: "Você não me interessa mais", terá recuperado o poder. Essa é a fortaleza de quem descobre sua liberdade original, esse é o seu mantra.

**2. Evite os lugares onde não seja bem-vindo ou em que possam prejudicá-lo**

Suponhamos que você não tenha sido convidado para um encontro com pessoas que conhece e aprecia. Ser rejeitado socialmente por gente de quem se é amigo é triste; é normal ficar chateado com isso. De qualquer modo, de nada adianta passar semanas remoendo a questão, como se fosse uma tragédia grega. Um pensamento adequado à situação seria: "Gostaria de ter ido, mas isso não era necessário nem imprescindível. Fiquei aborrecido por não terem me convidado, mas não vou deixar que isso interfira na minha vida. Tentarei descobrir por que não me incluíram na lista e, se for porque não gostam de mim, vou procurar outros amigos. É melhor saber logo o que está acontecendo". Realismo categórico.

Não quero dizer que você não possa mudar nem que o repúdio não deva afetá-lo em absoluto; na verdade, não é bom continuar sofrendo com o desprezo alheio a ponto de se abalar psicologicamente. Por acaso não pode viver sem aqueles que o desrespeitaram ou arranjar novos amigos que o aceitem e o apreciem de verdade?

Você nem imagina quantas pessoas não simpatizam com você, e isso não muda em nada o rumo de sua vida.

Para preservar a saúde mental, é melhor não se deixar levar pela curiosidade mórbida e começar a investigar o assunto até a exaustão: "Por quê?", "Onde?", "Quando"? "O que fiz de errado?". Obsessões, pensamentos repetitivos fazem mal. Atenha-se ao que é importante, não se desvie. A solução é simples e categórica: *se perceber que não é bem-vindo, arrume suas coisas e saia, e não volte.* O que mais pode fazer? Não pergunte nada; saia de cena silenciosamente, com toda a dignidade. E enquanto se afasta repita, como em um ritual tibetano desconhecido: "Quem não me quer não merece estar comigo". E adeus.

**3. A abstinência é um sofrimento útil que ajuda a desapegar-se**
Tornar-se independente emocionalmente tem um custo, conhecido como o fenômeno de *abstinência*.[26] Deixar de receber a dose

diária de nossas drogas preferidas descompensa o organismo e altera seu funcionamento. Provoca dor e desespero. Nas dependências, a cura é paradoxal: *sofrer para deixar de sofrer*. Lembra-se do personagem do filme *Matrix*, quando tomou consciência da verdadeira realidade? Sofreu um ataque de pânico, sentiu náuseas, teve sintomas de despersonalização, enfim, perdeu o rumo por alguns instantes.

Despertar é destruir todos os pontos de referência e caminhar no vazio: é estar radicalmente sozinho, para depois renascer. Desligar-se da fonte de apego é doloroso porque o organismo está acostumado e criou um condicionamento; mas é uma dor curativa.

Uma vez me contaram sobre um urso que ficou preso por vários meses numa jaula de seis metros de comprimento. O animal passava o tempo todo caminhando nervoso de um lado para o outro, sem parar. Quando, finalmente, foi solto, continuou percorrendo os mesmos seis metros de ida e volta, incapaz de ir além dessa pequena distância. A cela havia sido delineada em sua mente e implantada no cérebro. Assim como esse urso, a maioria das pessoas está atrelada ao espaço mental de seus condicionamentos. *Só é possível se libertar na prática se antes o fizermos em nosso interior.*

Para ser livre emocionalmente, não é preciso matar o amo; basta eliminar o poder psicológico que ele tem sobre você mostrando-se indiferente, distanciando-se mentalmente. Como afirmei antes: "Você não me interessa, não preciso de você". Nem asco nem raiva, nem amor nem desamor, apenas inapetência, distância psicológica, tomada de consciência afetiva: "Você não me faz bem".

Ninguém pode torná-lo escravo sem seu consentimento. Quem pode obrigá-lo a sentir, sonhar ou querer algo em especial se você não deseja fazê-lo? Um mestre espiritual costumava dizer a seus discípulos:

As melhores coisas da vida não se conseguem pela força. Podemos obrigar alguém a comer, mas não podemos obrigar ninguém a sentir fome.

Podemos obrigar alguém a se deitar, mas não a dormir.

Podemos obrigar alguém a nos elogiar, mas não a nos admirar.

Podemos obrigar alguém a nos contar um segredo, mas não a confiar.

Podemos obrigar alguém a nos servir, mas não a nos amar.[27]

**4. Listas de libertação pessoal**

Os tópicos a seguir lhe permitirão adquirir força interior para romper com o modelo da austeridade comportamental e se pôr à prova. Para eliminar os apegos, é preciso resgatar a força interior.

- *Lista de incapacidades imaginárias*. Anote aquilo que você não se anima a fazer porque duvida de sua capacidade. Quer pintar um quadro, mas se julga muito desajeitado? Pois dê forma estética a essa inaptidão. Gostaria de cantar em um coral, mas é desafinado? Então vá em frente, apresente-se e deixe que o vaiem ou se conformem com sua voz; pelo menos terá tentado. Escreva na lista tudo o que gostaria de fazer e organize as atividades por grau de dificuldade, antes de executá-las; comece pela mais fácil até chegar à mais difícil; assim, não será tentado a fugir diante do primeiro obstáculo. O objetivo é fazer tudo da melhor forma possível e acabar com os mitos negativos

sobre você mesmo. Basta ter vontade; depois você vai se aperfeiçoando.
- *Lista de dependências irracionais.* Faça uma relação das pessoas de quem depende sem necessidade. A quem recorre com mais frequência? Por que o faz? Por preguiça, medo, sentimentos de insegurança ou incapacidade? Novamente, organize os nomes por grau de dificuldade e comece a agir sem ajuda e a se tornar independente deles. Por exemplo: levar o carro ao mecânico, marcar consultas médicas, sacar dinheiro do banco ou comprar alguma coisa. Assuma suas decisões. Livre-se dos palpiteiros que lhe indicam o caminho, mas não o deixam ir sozinho.
- *Lista de sonhos aparentemente irrealizáveis.* Todos nós temos coisas que gostaríamos de ter feito, mas adiamos por algum motivo. Nunca é demais lembrar que o futuro é hoje, como disse Krishnamurti. Organize uma lista louca e atrevida dos seus desejos mais fortes. Pode ser qualquer coisa: pular de paraquedas ou mudar de sexo, não importa. Siga seus sonhos e o instinto. Confirme-os e anote-os num papel, de maneira que possa confrontá-los toda manhã. Leve-os com você e não adie mais: é agora ou nunca.

Uma paciente de 65 anos me disse um dia: "Sempre tive medo de ser ridícula, por isso me visto assim, de modo tão formal, como uma velhinha". Perguntei a ela o que gostaria de fazer com seu vestuário atual, e ela respondeu sem o menor vacilo: "Jogá-lo no lixo". Foi o que fez, depois de algumas consultas. Doou 90% de sua roupa de antiquário e começou a criar uma moda de acordo com seu gosto. Passou a usar boinas coloridas e cachecóis listrados, vestidos longos e pantalonas indianas com detalhes brilhantes. Substituiu a maquiagem pálida por uma mais colorida e aboliu o coque que lhe enfeitava a cabeça como um merengue. Estava feliz! Um dia, ela me disse em voz baixa, como se estivesse em um confessionário: "Não uso mais calcinha", e soltou uma gargalhada. O apego à opinião alheia, à formalidade e à idade a impedia de brincar com a própria aparência e explorar outros recursos estéticos, além de ser ela mesma em outras áreas. Assim é a liberdade emocional: quando encontra uma fenda, ela se instala e, uma vez dentro da mente, varre todo o lixo acumulado. Depois de mudar seu look, minha paciente realizou outras coisas que nunca fora capaz de fazer, como estudar violino, enfrentar uma filha que a explorava e arranjar um amante. Não importa quão simples ou absurdo possa parecer o início da mudança, cada um decide o que é importante para sua vida e qual porta abrir.

**5. Diminua o poder que você atribui às necessidades irracionais**
Os apegos que nos incomodam e nos fazem sofrer não têm nada de transcendental ou extravagante. Na maioria das vezes, embora sejam problemas simples do dia a dia, temos de enfrentá-los, resolvê-los ou reduzir sua importância. O apego se impõe porque você deseja ou necessita de algo de que não poderia prescindir ou desistir se realmente quisesse: ali reside seu poder.

Um paciente me contou que, certo dia, seu aquecedor de água quebrou. Como sempre detestou tomar banho frio, a falta de água quente era um problema que ele tinha de resolver rápido. Sua empregada também precisava usar a máquina de lavar louça, que só funcionava com água quente. Isso aconteceu numa quinta-feira, 31 de dezembro, às cinco da tarde, e, se ele não encontrasse um encanador urgente, teria de passar vários dias nessa situação. Finalmente, depois de várias tentativas, conseguiu entrar em contato com um senhor que, após examinar o aparelho, constatou que havia uma peça que precisava ser trocada, mas ela só estaria disponível na segunda-feira. Desesperado, pediu ao homem que instalasse um novo aquecedor, não importava o custo, mas a fábrica só poderia entregar dali a dez dias, pois os funcionários estavam em férias coletivas.

Sentindo-se incapaz de resolver o problema, ele tomou uma dose dupla de Clonazepam e me telefonou. Perguntei-lhe por que estava tão nervoso, e ele respondeu que não tinha coragem de tomar banho frio. Então lhe disse o seguinte: "Milhões de pessoas no mundo tomam banho frio, seja por necessidade, seja porque querem. Pelo que vejo, a água quente tem um grande poder sobre você, já que está lhe roubando energia e tranquilidade. Tire esse poder dela. Se conseguir se banhar com água fria, embora seja incômodo, não precisará se preocupar tanto com o conserto do aquecedor, e isso deixará de ser imprescindível para seu bem-estar. Não se deixe manipular por um ridículo aquecedor, não dependa dele para se sentir bem". Ele refletiu por alguns segundos e declarou em tom decisivo: "É mesmo, vou fazer isso". Durante os três dias seguintes, meu paciente resolveu parar de depender da água quente. Tomou umas vinte duchas frias, exclamando de vez em quando, enquanto estava sob o chuveiro: "Você não vai me vencer! Não vai me vencer!". Sua esposa achou que ele e seu psicólogo estavam loucos. Na segunda-feira, o encanador ligou avisando que o conserto demoraria mais alguns dias, e meu paciente respondeu: "Não se preocupe, não tenho a menor pressa". Sua mente deu uma guinada: não precisava mais com tanta urgência da água quente. É claro que a preferia, mas podia viver sem ela com um mínimo de esforço. Havia destruído o mito da impossibilidade.

Você pode usar essa técnica com qualquer outra necessidade irracional: enfrente-a e tente abrir mão dela, para ver o que acontece. E procure encarar isso como um desafio. Pense: "Não preciso de você", de verdade e sem desculpas. Trata-se de uma estratégia de resolução de problemas para reavaliar e dimensionar a necessidade, focalizando determinado comportamento que tememos ou que nos incomoda. A água quente foi restituída à casa de meu paciente, e ele esperou o conserto sem dramas. Hoje, uma vez por semana, toma um banho frio, para não perder o hábito, e o aprecia.

*Minha felicidade consiste em apreciar o que tenho
e não desejar demais o que não tenho.*

LEON TOLSTÓI

# LIÇÃO 3
## O APEGO SEMPRE VEM ATRELADO A UM DESEJO INSACIÁVEL

### A INFLAÇÃO EMOCIONAL OU O FENÔMENO DA TOLERÂNCIA

No mundo dos apegos e dependências, existe um fenômeno inflacionário conhecido como *tolerância*.[28] Quando a dose, seja química, seja psicológica, é consumida mais de uma vez, o cérebro se acostuma com ela e passa a necessitar de uma quantidade cada vez maior para manter o efeito prazeroso vivido anteriormente. O organismo tenta, assim, restabelecer o equilíbrio que foi alterado pela carência, buscando novamente a estimulação desejada. Se você masca chiclete, já deve ter percebido o que acontece: primeiro, a sensação agradável é produzida por apenas um chiclete; logo precisará de dois ou três para que suas papilas gustativas conservem o sabor, e, quando se dá conta, já devorou uma caixa inteira e se tornou um feliz ruminante. É o que ocorre com qualquer elemento de apego. Se você gosta de alguém, acostuma-se com ele, e seu cérebro vai pedir mais do mesmo. Não basta andar de braço dado com a pessoa amada e estar ao seu lado o tempo todo; você a quer por toda a eternidade. Muitas vezes, chega a ter vontade de encaixá-la em sua vida para fazer parte de você como um apêndice. O que realmente deseja e necessita é que a relação seja *permanente*, *previsível* e *controlável*. E, como não existe essa certeza em nenhum tipo de vínculo, você fica frustrado o dia todo. O mais surpreendente é que, apesar da ansiedade e do mal-estar decorrentes da dependência, é muito provável que não consiga enxergar a realidade e continue, teimosamente, alimentando falsas esperanças e perseguindo metas inalcançáveis.

Assim é o mundo bobo do apego. O que começa com uma simples atração/prazer culmina em uma espécie de inflação bioquímica e psicológica que beira o absurdo: "Preciso de mais do mesmo para conseguir o mesmo". Tudo aumenta. Já não bastam trinta minutos de exercício físico, é necessário acrescentar quinze minutos diários para intensificar o esforço dos músculos. Ao cabo de um mês, você estará praticando mais de uma hora e meia por dia e, no fim do ano, poderá ser considerado um dependente de exercícios. Tudo aumenta...

"VOCÊ ME FAZ FALTA, MUITA FALTA, NÃO SEI SE SENTE O MESMO POR MIM..."

O processo de dependência nunca para, vai se aprofundando continuamente até surgir um sentimento difícil de lidar conhecido como "nostalgia dependente". Não importa que a fonte de apego seja alguém querido, um trator ou um prato de batatas fritas, o mecanismo não muda: você passa a sentir falta do objeto ou da pessoa a quem está ligado quando se afasta deles, mesmo que seja por alguns minutos. No início de uma atividade agradável, pensamos à maneira budista: "Se eu conseguir isso, tudo bem; se não, tudo bem também". Porém, após algum tempo, essa incipiente sabedoria do desprendimento começa a sofrer uma transformação negativa, e a saudade produz seus estragos. Quando você for afetado pelo vírus da dependência, não vai querer se desligar nem por um segundo de sua fonte de apego, esforçando-se ao máximo para repetir a experiência a todo custo. Precisará compensar com urgência o desequilíbrio causado pela ausência. Um paciente, com lágrimas nos olhos, me disse: "Sinto saudade do meu carro". O veículo fora roubado havia um mês, e o novo, que substituíra o outro, não satisfizera suas expectativas. Ele queria o "seu", o original, aquele que, segundo ele, lhe pertencia de verdade. O novo não passava de uma prótese, um reles simulacro de felicidade.

Repito: pode existir apego não apenas a seres vivos, mas também a objetos físicos, símbolos ou qualquer coisa com a qual nos envolvemos. Há pessoas que "sentem falta" do computador da mesma forma que sentem falta do namorado ou da namorada. Tempos atrás, um amigo meu perdeu seu iPad e depois o recuperou. O "encontro" que presenciei entre o aparelho e ele foi sem dúvida surpreendente, digno de uma daquelas comédias melodramáticas de Hollywood. Ele abraçou seu tablet, e por alguns instantes tive a impressão de que o dispositivo fazia o mesmo.

## BODY VICTIM

Há símbolos que nos inserem em uma realidade que nem sempre corresponde ao que somos e representam segurança. Alguns são caros e acessíveis, como uma roupa Versace ou uma bolsa Louis Vuitton; e outros, menos acessíveis, como a beleza e a relação que estabelecemos com o próprio corpo. Em um mundo onde o valor das pessoas parece estar na aparência, quem já não sofreu alguma vez com seu aspecto físico?

Há cada dia mais vítimas da não aceitação do próprio corpo (*body victims*). Os escravos da imagem física se multiplicam, buscando desesperadamente se encaixar nos padrões de beleza estabelecidos, e estão dispostos a tudo, como vimos no caso de apego a cirurgias estéticas. Cada vez mais, a mídia publica anúncios errôneos ligando saúde a beleza.

Ter problemas com a autoimagem é um conflito sério, uma vez que, pelos padrões de beleza estabelecidos pela sociedade, sempre lhe faltará alguma coisa: *não importa o que você fizer, nunca conseguirá ser tão bonito ou bonita quanto os especialistas afirmam que deveria ser.* Sempre lhe faltará ou sobrará algo, para que as empresas dedicadas à beleza faturem cada vez mais. É assim que funciona. É uma armadilha em que se vende uma falsa solução, porque os cremes, os cirurgiões e a infinidade de tratamentos disponíveis no mercado não são capazes de fazer milagres. Qual é a saída? Não acredite na necessidade de se adaptar à estética corporal impingida pela sociedade e admita a realidade, embora pareça dura e cruel, tal como Buda dizia e os estoicos sugeriam, especialmente Marco Aurélio: "Seu corpo não passa de um saco de fluidos, ossos e porcarias gelatinosas". O resto – o ser "magnífico" ou "elegante" – cabe a você e à cultura existente agregar. O mais saudável não é ser "lindo" ou "linda", mas se aceitar incondicionalmente e fugir de soluções mirabolantes que o levem a perseguir coisas impossíveis.

O *Dhammapada*, em sua sabedoria, afirma:

> Cedo ou tarde, este corpo físico acabará estendido sobre a terra, esquecido, sem consciência, como um tronco de madeira inútil.[29]

Isso é realismo estético, uma crueza libertadora que mostra o corpo em sua evolução natural, embora tal teoria desagrade às pessoas que gostam de concursos de beleza e acreditam que seu valor está no aspecto físico. Os que são apegados à beleza nunca terão sossego, porque a vida lhes pregou uma peça: eles envelhecem a cada segundo. A realidade implacável é que o tempo nos traz mesmo muitas rugas, por mais que tentemos dissimulá-las com maquiagem e outros métodos. E os cabelos? Devemos deixá-los brancos ou tingi-los de forma natural e elegante? Tentar melhorar a aparência e se gostar sem obsessões nem esquemas comparativos é importante para a autoestima, mas ficar angustiado porque não somos fisicamente aquilo que dizem que deveríamos ser é um apego ridículo, estúpido demais.

## Nosso lado glutão

Quem é dependente reclama se não está sempre com sua fonte de apego, porque, além de ela lhe proporcionar prazer, segurança e autorrealização, dá sentido à sua vida. É por isso que quer cada vez mais e não se conforma com a perda. A questão não é só fisiológica (gosto, prazer, vontade, impulso), mas também existencial (significado). A pessoa ambiciona mais, sempre mais, a cada respiração, a cada instante: "O amor que você me dá não é suficiente", "Preciso de mais tempo no computador", "Se não faço compras todo dia, fico deprimido", "Quero mais poder", "Quero mais dinheiro, não consigo parar", e por aí vai. São montanhas-russas emocionais patrocinadas por uma dependência que nos transporta do céu para o inferno em um instante e logo em seguida para cima de novo. O apego é insaciável por natureza, uma vez que por trás de cada pessoa dependente há uma criança insuportável e glutona que o dirige e tem um apetite voraz.

Uma vez, um pobre mendigo encontrou um peregrino com um dom especial: tudo o que ele tocava se tornava valioso. Ao ver a pobreza do homem, o peregrino pegou uma pedra, arranhou-a com a unha e transformou-a num grande diamante: "Com isto você poderá viver pelo resto da vida", disse ao pobre. Olhando o presente, o mendigo respondeu: "Bom, você sabe, a vida está muito cara. Tudo sobe...". Então, o caminhante pegou um montinho de terra, passou a mão sobre ele e entregou ao homem uma bolsa repleta de pedras preciosas. "Tome, com isto você será um dos homens mais ricos do mundo". O mendigo recebeu a bolsa, avaliou seu peso e fez um gesto de insatisfação. "O que foi?", perguntou o andarilho. "Não sei", murmurou o outro, "de qualquer forma, nunca estamos livres de imprevistos." Admirado com a atitude do ingrato, o caminhante exclamou: "Mas, afinal, o que mais você quer?". O mendigo respondeu sem rodeios: "Quero seu dedo!".[30]

## A ARTE DE TRANSFORMAR UM DESEJO NORMAL EM DOR DE CABEÇA

A mente humana tem a curiosa habilidade de transformar qualquer desejo agradável e tranquilo em um problema psicológico. A seguir, apresento o relato feito por uma paciente jovem para ser analisado na sessão de terapia.

"Fiquei encantada com um vestido que vi numa vitrine. Como ia a uma festa, achei que podia comprá-lo. Em poucos dias, juntei o dinheiro e fui correndo comprá-lo. Na loja, a balconista me avisou que o meu tamanho estava esgotado. Como, esgotado? Fiquei desesperada, pensei até em não ir mais à festa e maldisse o destino, a vendedora e a pessoa que comprou o último vestido que restava. Depois de duas semanas intermináveis, ainda não tinha encontrado uma roupa para usar na festa e continuava angustiada. Então maldisse quem me convidara. É que esse vestido era especial, e eu me imaginava dentro dele: um sonho que não podia deixar de realizar. Um belo dia, quando a depressão já havia se amenizado, encontrei outro vestido parecido e pela metade do preço! Desta vez Deus me ajudara! Entrei na loja, perguntei ao vendedor se tinha meu número e ele disse que sim. Saí de lá feliz, sonhando como ficaria linda e atraente na noite esperada. Chegado o momento, eu me arrumei toda e saí sentindo-me uma diva... Assim que entrei na festa, fiquei perplexa. Todo mundo usava roupa casual, como jeans, e a maioria estava de tênis! Todos relaxados, bebendo e dançando, e eu de pé, com um traje inadequado para a ocasião e me sentindo ridícula! Mas até que dei sorte, juro: ninguém reparou no meu vestido nem em meus altíssimos sapatos vermelhos... Uma hora depois, estava descalça, com o penteado desfeito e pulando feito uma louca. Logo encontrei um garoto com quem talvez volte a sair. Ele me disse que eu estava encantadora com meu jeito de *lady*. Na manhã seguinte, em plena ressaca, percebi uma coisa que ainda me faz sentir-me estúpida: o capricho de ter um vestido me roubou semanas de vida e muitas horas de sono, e no fim ninguém ligou para ele! Quanta perda de tempo!"

Qual foi o problema da minha paciente? Querer um vestido? Querer arrasar na noite da festa? De jeito nenhum: o verdadeiro conflito foi que ela transformou um desejo normal em questão de vida ou morte. Associou sua felicidade/realização à conquista de um objeto. Queria preencher um vazio e criou o próprio conto de fadas. Não soube administrar suas vontades.

## Desejos "perigosos" em terreno fértil

Não podemos negar que alguns desejos são francamente perigosos para a saúde mental e física, quem já não viveu isso? Às vezes resistimos às tentações estoicamente e outras nos rendemos à menor insinuação, talvez porque sejamos atingidos em alguma parte mais dolorida ou mais alegre. Essa vinculação funciona como um côncavo/convexo: se a semente cai em campo fértil, o apego progride, simplesmente porque cada organismo tem suas vulnerabilidades. É fácil ficar viciado em sexo se você tem testosterona e imaginação de sobra! A fama, o prestígio e a posição social são ótimas fontes de atração se você precisa aparentar ser uma pessoa maravilhosa e não se sente assim! Alguns experimentam o crack e não sentem nada, outros logo ficam acorrentados para o resto da vida. Há quem jogue com o amor sem se apaixonar, ao passo que outros são rendidos diante da primeira insinuação. Quando se trata de dinheiro, alguns se desdobram com uma dedicação infinita e se dedicam aos negócios com intensa avidez; outros quase não se alteram.

O Dalai Lama[31] defende a capacidade natural de ter desejos, mas reconhece que alguns são especialmente perigosos, pois têm um poder de atração intrínseco que os torna irresistíveis. As "inclinações perigosas" (cada um tem as suas) precisam de uma boa dose de autoconhecimento para ser controladas. Uma pessoa consciente pode dizer a si mesma: "Reconheço que, quando minha 'debilidade' é ativada, sou manipulado pelos desejos, por isso é melhor eu ficar longe daquilo que me prejudica". Modéstia e precaução a tempo: "*Vade retro*, Satanás!". Por outro lado, se não há risco de adquirir vício nem de se arrepender de nada, é melhor soltar o freio de mão e desfrutar até arrebentar. É esse processo de discernimento que, em última instância, distingue o sábio do ignorante: *desejar o que há para desejar sem perder o controle e repelir o que nos causa apego.*

Um pescador encontrou entre suas redes uma garrafa de cobre com uma tampa de chumbo. Ao abri-la, apareceu um gênio, que lhe concedeu três desejos. Em primeiro lugar, o pescador pediu que o transformasse num sábio para que pudesse escolher perfeitamente os outros dois desejos. Depois de cumprido o pedido, o pescador refletiu e agradeceu ao gênio, dizendo-lhe que não tinha mais desejos.[32]

Na psicologia budista, a palavra "desejo" costuma ser traduzida como "sede de posse", "apetite", "ânsia", "apetência" (*trishna*, em sânscrito).[33] Outras interpretações dão ao termo *trishna* um sentido mais relacionado ao apego: "desejo de se agarrar a tudo aquilo que na verdade nos possua".[34] Uma analogia utilizada no zen-budismo associa a mente "infectada" pela sede do desejo a um macaco louco e faminto que perambula por uma selva repleta de estímulos condicionados[35]: intratável, insaciável, incontrolável. Atribui-se a Buda a seguinte afirmação sobre o poder do desejo:

> Não existe fogo semelhante ao desejo. Não há nada que cole tanto quanto o ódio. Não existe nó como o engano. Não há cadeia como o apego.[36]

Portanto, se você tem certas vulnerabilidades que não controla, terá desejos que o manipularão à vontade e o seduzirão até que fique enredado e queimando por dentro enquanto durarem. Convenhamos que o fogo em si mesmo não é nem bom nem mau, depende de como o utilizamos. Um piromaníaco poderá provocar desastres: não conseguirá viver sem o incêndio; um bombeiro o apagará. Se você sabe quais são os "desejos perigosos" aos quais é suscetível, pode evitá-los a tempo e não entrar na boca do lobo. Em psicologia, chamamos isso de "controle de estímulos": "Como sei que você vai me devorar, é melhor não me aproximar".

## A PRÁTICA DO DESAPEGO: COMO LIDAR COM OS DESEJOS SEM CAIR NO APEGO

*1. A "afeição" não é um "vício"*
Não estou sugerindo que você reprima sua capacidade de sentir e acabe se tornando uma pessoa enrustida, aborrecida e amarga. Não é preciso transformar a vida em patologia ou ver apegos em todo lugar, mas sim perceber quando está brincando com fogo e quando não está e tomar as decisões adequadas. Ter paixão por uma atividade e dedicar-se a ela com entusiasmo é saudável e conveniente, até aí não há problema. A questão se complica quando esse hábito se torna *incontrolável* e impossível de administrar. Se isso está acontecendo com você, talvez esteja envolvido em uma armadilha viciante, e a solução é procurar moderar o impulso.

Oscar Wilde, que não foi um homem exatamente comedido, citou o poeta Li Mi-an referindo-se à mesura:

> Ao beber, aja sempre com moderação;
> A flor meio aberta é sempre mais bonita,
> À meia vela, os barcos navegam bem,
> E os cavalos trotam à meia-rédea.[37]

## 2. Diferencie "paixão harmoniosa" de "paixão obsessiva"

Um antigo provérbio oriental mostra a diferença entre as duas paixões:

> Quando um arqueiro atira gratuitamente, por mero prazer, está totalmente confiante em sua habilidade. Quando espera ganhar uma fivela de bronze, fica um pouco nervoso. Quando dispara para ganhar uma medalha de ouro, fica tão ansioso pensando no prêmio que perde metade de sua habilidade, pois não vê só um alvo, mas dois.[38]

A *paixão harmoniosa*[39] ocorre quando você faz alguma atividade que aprecia por natureza, independentemente dos resultados (motivação intrínseca). Você se compromete com a ação e não mede esforços para realizá-la. E o mais importante: o que o leva a agir não é um impulso incontrolável, mas sua capacidade de escolher e estar ali livremente, fazendo o que lhe interessa. As pessoas com esse tipo de paixão se envolvem com o que fazem sem se descuidar das outras áreas da vida: o prazer não as torna irracionais nem as destrói. Comparada à típica obsessão, a paixão harmoniosa cria mais emoções positivas, melhor rendimento e bem-estar interior.[40]

A *paixão obsessiva*[41] também o leva a se entregar a suas atividades, mas de maneira exagerada. Pense em qualquer apego que você tenha e saberá a que me refiro. Talvez haja um rendimento semelhante ao proporcionado pela paixão harmoniosa, mas isso implica um custo alto para a saúde mental: você agirá sem controle e sem organização. Na paixão obsessiva, o prazer depende basicamente dos resultados obtidos (motivação extrínseca), e não tanto da execução em si, o que lhe rouba energia e discernimento. Se a obsessão o contaminar, sua mente não terá espaço para mais nada. Pesquisas revelam que o "estilo apaixonado-obsessivo" diminui a concentração na tarefa, torna as pessoas mais rígidas e provoca uma série de sintomas físicos, como dor de cabeça, insônia e problemas gastrointestinais.[42]

Da minha janela, costumo assistir à Maratona de Barcelona. Fico admirado ao observar as pessoas correndo na rua. O panorama não varia muito. Nos primeiros lugares se encontram todos os tipos de corredores, e alguns são conduzidos por uma *paixão harmoniosa*: querem o prêmio, mas não se angustiam com isso nem se sacrificam para se manter na liderança. Outros, sem dúvida vítimas de uma *paixão obsessiva*, parecem se debater entre a vida e a morte para conseguir o troféu. O desespero está estampado em seu rosto e ficam irados se alguém os ultrapassa. Ambos os tipos lutam pelo prêmio: uns mantêm a tranquilidade; outros são invadidos pelo estresse e pelo medo de perder.

No fim da fila aparecem os retardatários de sempre: os que correm por correr, sem se preocupar nem um pouco com o resultado; seu objetivo é chegar à reta final, não importa a classificação, e se manter bem. Vencer é completar o percurso. Alguns até sorriem, como se quisessem desmitificar a competição. Têm entusiasmo, mas também humor. Não digo que o esporte de alta competitividade seja algo ruim: conheci competidores de nível internacional que atuam com uma paixão equilibrada e saudável. Refiro-me à capacidade que os seres humanos têm de tornar qualquer atividade divertida ou aborrecida, dependendo de sua motivação, que pode ser harmoniosa (intrínseca) ou obsessiva (extrínseca). De qualquer modo, inevitavelmente, quando olho pela janela, sempre aguardo os últimos, não porque serão os primeiros, mas porque me contagiam com sua atitude: eles me divertem.

### 3. *Enfrente o desejo*

Para lidar com um desejo contraproducente (com alta probabilidade de gerar apego), às vezes é necessário abordá-lo sem rodeios e confrontá-lo como se tivesse vida própria: "Aonde você pensa que vai, desejo? Precisamos entrar num acordo, e quem manda não é você... Ouviu? Um a-cor-do". É bom conversar com ele para transformá-lo, orientá-lo ou sublimá-lo. Tentar conviver pacificamente com os anseios e esclarecer mal-entendidos com o sentimento que o oprime: "Querido desejo, não quero reprimi-lo, apenas orientá-lo, não se assuste". É muito importante dar uma esfriada para avaliar a relação custo-benefício antes de cair no abismo. Fazer um balanço de última hora, embora pareça tardio: o que "quero e não posso" ou não me convém. Essa é a luta interior que você tem de enfrentar se pretende desenvolver um mínimo de autocontrole.

Suponhamos que você goste de jogar e esteja disposto a apostar sua casa porque tem certeza de que hoje é seu dia de sorte.[43] Está com um pé na loucura e outro no vício e nem se dá conta. Isso significa jogar fora o patrimônio de sua família! O que fazer numa situação como essa? Use o kit completo de enfrentamento. Se perceber que a cor e o som das fichas o arrastam irresistivelmente, não perca tempo: chame alguém para ajudá-lo, reze, grite, jogue água fria no rosto, insulte o crupiê para que ele o expulse do cassino ou discuta com o desejo abertamente em voz alta. Não se deixe enganar. Dê um tempo (pare tudo o que estiver fazendo) e reavalie a questão com a cabeça fria. Respire e relaxe. Se perceber que o questionamento e a razão não funcionam, fuja da tentação. Como pode ver, trata-se de uma luta, uma "estratégia de guerra" para momentos difíceis: transpiração e convicção se unem no combate ao vírus invasor.

Meu pai viveu essa situação em Mar del Plata, uma bela cidade balneária da Argentina. Quando estava a ponto de perder tudo na roleta, teve a ideia de chamar um tio que estava ali de férias, o qual o arrastou do Hotel Provincial, onde ficava o cassino. Depois disso, ele nunca mais entrou numa casa de jogos, nem para tirar fotos. No dia seguinte, mesmo sendo ateu, não parava de agradecer a Deus e ao meu tio. Quando íamos passar férias nessa cidade, era comum vê-lo falando sozinho, confabulando com seu desejo e tentando colocá-lo em seu lugar. São colóquios altamente produtivos: dialogar consigo mesmo, ao estilo dos sábios gregos e em dialeto napolitano.

### 4. Disciplina e moderação: dois fatores antiapego

É preciso cultivar a *moderação*, embora esteja fora de moda e seja politicamente incorreto falar de comedimento. Falar sobre "prudência" na pós-modernidade parece um contrassenso, quando o que se enaltece em qualquer lugar é a exacerbação das emoções, o *laissez-faire* e o ímpeto primitivo das tribos urbanas.[44] No entanto, em minhas conferências, vi muitos jovens interessados em desenvolver o autocontrole, pois todos querem sentir prazer, mas sem nenhuma consequência danosa.

No que diz respeito à importância de "usar a moderação", a história do príncipe Sidarta nos ensina uma grande lição. Na busca pela iluminação, Buda renunciou aos extremos e se negou a continuar maltratando o corpo.[45] Ele se deu conta disso no dia em que ouviu um barqueiro dizer a outro que, para que um instrumento musical funcionasse bem, as cordas não deviam estar nem muito apertadas nem muito frouxas. A solução estava na sua frente e ele não a tinha visto: não se consumir fisicamente nem se deixar arrebatar por nada. Foi seu primeiro passo para o despertar. O mais paradoxal é que, para domar e controlar o "macaco louco" de que falamos antes, é preciso ter uma mente de gazela: ágil, atenta e veloz. Saber desejar é calibrar o impulso sem destruir a capacidade de sentir, ou, em outras palavras, guiar os próprios desejos, e não deixar que eles nos guiem. A palavra é *autodisciplina*. Este trecho do *Dhammapada* reforça essa afirmação:

> Os aguadeiros levam a água para onde quiserem; os flecheiros fazem flechas; os carpinteiros trabalham com madeira; e os sábios se autodisciplinam.[46]

*O medo bateu na porta, a confiança abriu,*
*e lá fora não havia ninguém.*

PROVÉRBIO CHINÊS

# LIÇÃO 4
## NÃO EXISTE APEGO SEM O MEDO DE PERDÊ-LO

### NO LIMITE

Amar a própria doença: haverá maior paradoxo do que se apegar ao que nos faz sofrer e defendê-lo até a morte? Nós nos acostumamos com a dor e, às vezes, até passamos a gostar dela. As pessoas apegadas vivem no limite, esperando o pior: *perder o objeto ou sujeito do seu apego.* Sentem medo o tempo todo, minuto a minuto, como se tivessem algo atravessado no cérebro e no *alter ego*. Todo dependente tem um pesadelo particular, que se transforma em séria preocupação quando pensa demais nele: "E se eu não passar no teste?" (apego ao êxito), "E se eu perder minha fortuna?" (apego ao dinheiro), "E se ele (ela) me abandonar?" (apego ao amor), "E se a luz acabar?" (apego à televisão), "E se eu fizer uma maldade?" (apego à virtude), "E se eu fizer algo ridículo?" (apego à aprovação), e por aí vai. Embora cada pessoa reaja de um jeito, o motivo do pânico é sempre o mesmo: *que a fonte de apego se acabe, desapareça ou se distancie.* E isso é compreensível, pois, se consideramos o objeto de desejo imprescindível para nossa vida, romper esse vínculo seria a gota d'água.

O que faz alguém ter medo da perda é a crença de que o objeto ou a pessoa aos quais é apegado são eternos ou permanentes. Os budistas chamam de "ignorância" esse modo de pensar (*avidya*, em sânscrito)[47], uma mistura de infantilismo cognitivo e egocentrismo (imaturidade psicológica) que leva os dependentes a imaginar que algumas coisas são para sempre (ver lição 8). Essa é a ilusão ou o subterfúgio mental que nos impede de aceitar a realidade: todos nós morremos, envelhecemos e ficamos doentes. A vida, como veremos adiante, é impermanente, e, portanto, nossas fontes de apego se esgotarão, queiramos ou não. *Se você aceitar essa premissa de todo o coração, não terá mais apegos.*

## O APEGO À ESPIRITUALIDADE

O medo é proporcional às expectativas que criamos ("Diga-me o que espera e eu lhe direi do que tem medo"). Spinoza afirmava que a esperança e o medo andam de mãos dadas e se manifestam no temor de que o esperado não se cumpra.[48] Novamente, cito Buda:

> Do apego emerge a tristeza, e da atração surge o medo. Mas quem está livre de atração não sente tristeza. Medo, por quê?[49]

Se não tenho nada a perder, por que sentir medo? Se aceito o pior, o que importa o resto? A despreocupação bem administrada é maravilhosa, porque, se nada é indispensável para mim, o medo não tem como se instalar.

A questão é não se deixar atrair por nada que o magoe, não importa quão belo ou nobre seja sua origem e seu fim. Conheci gente envolvida com religião cujo objetivo era simplesmente "garantir um lugar no céu". Trata-se de um apego à fé e à transcendência amparado em um esquema evidentemente presunçoso: *ser um dos eleitos e salvar-se*. Essas pessoas não se ligam a automóveis, à moda, ao sexo ou a qualquer outra coisa mundana ou fisiológica, apenas à vida eterna. Os apegados à espiritualidade temem ficar presos à humanidade terrena e não conseguir alcançar o estado de júbilo no além. O "temor a Deus" se transforma em "temor ao fracasso" (não ser santo, iluminado ou transcendente). Os budistas chamam esse desejo incontrolável de atingir uma meta, não importa qual seja, de *obsessão por ser mais* (ver lição 10). Qualquer vocação, mesmo se for movida pelas melhores intenções, deixa de ser útil e saudável quando a ambição toma as rédeas. A paz interior resultante de uma espiritualidade sadia é muito mais modesta e menos compulsiva.

O pensador chinês Hong Yingming escreveu, há quatro séculos:

> No momento em que o homem encontra seu lugar de repouso no coração, até as estrelas ocupam seu verdadeiro lugar no céu.[50]

Essa afirmação é bela e interessante. Se tivermos a sorte de aceitar o que somos e nos conectarmos ao universo, a existência recuperará o sentido que perdemos em algum momento. Se os budistas têm razão ao dizer que tudo é interdependente e uma ação leva a outra, quando você se encontrar com seu eu verdadeiro haverá uma reação em cadeia positiva: *verá que cada coisa está onde deve estar e você fará parte dessa ordem.*

## A AUSÊNCIA DE MEDO E A FELICIDADE

O medo que cria o apego baseia-se, pelo menos, em três coisas: a) ter de suportar ou vivenciar algo de que não gostamos; b) não poder manter o que desejamos; e c) não conseguir o que queremos.[51] Em psicologia, isso é chamado de "frustração/ansiedade", e no budismo denomina-se "sofrimento" (*dukkha*, em páli) ou "aquilo que é difícil suportar".[52] No vocabulário dos apegados, não existe a expressão "Não aguento mais você". As pessoas dependentes toleram qualquer coisa para não perder seus apegos. No *Udana*, há o relato de um rei que, graças aos ensinamentos de Buda, deixa de sentir medo e encontra a felicidade:

> Buda perguntou ao rei: "É verdade que Vossa Majestade, onde quer que esteja, no bosque, sob uma árvore ou em local isolado, pronuncia sempre esta exclamação: 'Que felicidade!', 'Que felicidade!'?" O rei respondeu: "Senhor, antes de conhecer o poder de seus ensinamentos, eu mantinha guardas dentro e fora do meu palácio, dentro e fora da cidade e em todos os meus domínios. E, apesar de estar protegido e seguro, vivia com medo, inquieto, receoso, assustado. Agora, senhor, onde quer que eu me encontre, no bosque, sob uma árvore ou em local isolado, mesmo estando sozinho, vivo sem temor e tranquilo. Confiante, sem medos, despreocupado, em paz com o que os outros me dão e com a mente livre como um animal selvagem".[53]

Não deixa de ser interessante imaginar-se nu e sem rumo correndo por um bosque, rindo sem parar e sob os efeitos de uma mente livre de qualquer apego. Em minha experiência como psicólogo clínico, observei que os pacientes que conseguem se libertar emocionalmente de algum apego sorriem. Não de euforia, mas de alegria tranquila. Quando uma criança para de sentir medo, sorri, e os adultos também. O alívio gera paz, e a paz traz alegria.

## A prática do desapego: como enfrentar os temores que criam o apego

**1. Identifique o medo que impede o desapego**

Repito: não existe apego sem medo. É o outro lado da moeda, é o custo inequívoco da dependência. Enquanto você acreditar que o objeto ou a pessoa de quem depende é sua razão de ser, sempre haverá uma ansiedade antecipatória em seu coração. Responda com honestidade: o que tem a ganhar com este ou aquele apego? Ele compensa suas limitações ou fraquezas? Contribui para sua realização? Supre uma necessidade inadiável? Traz algum prazer a mais para sua vida? Questione-se diretamente, sem justificativas: o que prende você? Pesquise em seu interior e analise-se em profundidade. Lembre-se de que atrás de cada apego há um medo, e atrás de cada medo se esconde uma deficiência que você precisa superar. Por exemplo:

- Se você acha que não é uma pessoa muito querida, terá medo de que sua relação afetiva se acabe. Sua mente ficará impregnada de um pensamento terrível que não o deixará viver em paz: "Ninguém nunca gostará de mim".
- Se você está convencido de que "vale pelo que tem, e não pelo que é", a simples ideia de perder seus bens será assustadora para sua autoestima: "Serei um miserável".
- Se você se julga incapaz de conduzir a própria vida, se apegará aos modelos de segurança/autoridade por medo da solidão e do abandono: "Preciso de alguém mais forte que eu para poder sobreviver".

Tente detectar a sequência deficiência-medo-apego; essa é a estrutura que define sua dependência. Para acabar com o medo de perder a fonte de apego, faça o seguinte: supere a deficiência ou acabe com a necessidade irracional, e o medo desaparecerá à medida que a dependência se amenizar.

**2. Aceite o pior**

Relaxe e deixe as coisas acontecer. Destrua toda esperança, todo desejo que o relacione ao apego, nem que seja por alguns minutos, como quando você medita ou é tomado por um impulso de coragem. Para aceitar o inevitável, é preciso assumir mentalmente todos os acontecimentos temidos.

- Imagine a situação que você mais teme, crie fantasias com ela e mantenha-a na mente. Não a evite. Pense exclusivamente na "catástrofe" que seria perder essa coisa ou essa pessoa que lhe parece imprescindível. Permaneça assim, sem deixar a imagem se esvair. Procure retê-la até sentir uma ponta de resignação ou se habituar à imagem. Finja que não se importa nem um pouco, que não deseja, não quer, não espera nada desse apego em particular. Quando uma pessoa diz "Tanto faz", já não teme; é livre.

- "E se o avião cair?", perguntou-me um paciente com medo de voar. Respondi com a argumentação dos antigos sábios gregos: "Não é tão horrível assim: restam a morte, o adeus definitivo, o fim e o regresso para casa". A princípio, ele não sabia se chorava ou ria, mas depois começou a ver sentido no que eu disse. Tudo acaba, tudo morre, não importa que seja lindo ou cruel. O pior que pode acontecer não é arder no inferno por toda a eternidade: é a própria ideia da eternidade!

Quando eu era pequeno e as pessoas me diziam na escola que quem é mau vai para o inferno "para sempre", o que mais me angustiava era a palavra "sempre", porque me sentia encurralado: não havia escapatória nem como terminar com aquilo. Acho que, se existisse a imortalidade, o que todo mundo mais desejaria seria morrer. Não quero dizer que tenhamos de abrir mão da vida ou ser irresponsáveis; o que afirmo é que "o pior nunca é o pior", porque tem data de validade e se acaba. Que lhe sirva de consolo antecipado: se você perder algum de seus queridos apegos, o sofrimento será digerido pelo seu corpo por meio da dor (se você permitir). Com o tempo, seu apego tão amado, tão vital e insubstituível não passará de uma recordação.

- "Eu me entrego à Providência", diria um estoico. Aceitar o inevitável é a melhor opção quando o que deseja ou espera escapa ao seu controle ou não depende mais de você. A regra é: se algo depende de você e vale a pena, lute, resista e aguente até onde for capaz; mas, ao contrário, se não puder fazer nada a respeito, não persiga cegamente o impossível, deixe que o destino, Deus ou o que for se encarregue do assunto. Aceitar o pior não é negar seu poder de decisão, mas sim estabelecer limites e humanizá-lo. Podemos chamar isso de "modéstia adaptativa": a ocorrência de um terremoto não depende de você, o que depende de você é se salvar, escapar e buscar refúgio. Da mesma forma, não podemos impedir que chova, mas podemos comprar um grande e bonito guarda-chuva. Em outras palavras: "modéstia adaptativa" é compreender até onde devem ir seus esforços e até que ponto se justificam. Quando um otimista insensato me diz que não há nada impossível, imagino-o tentando voar sem ajuda e despencando lá de cima.

**3. Enfrente o medo**

Esta é uma variante do tópico anterior: desafiar os temores e enfrentá-los, como se estivéssemos diante de um inimigo covarde. O método consiste em fazer exatamente o que seus medos ou crenças infundados o impedem de fazer. Por exemplo: se você acredita que não sabe falar em público porque não tem uma boa voz, gagueja às vezes ou costuma suar diante da plateia, desafie o medo do palco, provoque-o e assuma o controle: fale em público sempre que puder, mesmo que seja incômodo ou doloroso. E, se com o tempo for melhorando, não fique envaidecido. Não se mostre tão certo da vitória ainda; de vez em quando, enfrente o medo para ver se está de fato confiante. Procure-o em cada meandro do seu ser, em seus esconderijos preferidos. Diga-lhe como um antigo espadachim: "Eu o desafio a me impedir de fazer a conferência: vamos ver se é capaz, seu idiota!" O efeito é paradoxal, semelhante ao que acontece quando alguém sofre de insônia e, em vez de ficar rolando na cama e se obrigar a dormir, decide não dormir porque não quer; em meia hora está roncando.

Eu chamaria essa prática do desapego de "treino de coragem": *fortalecer-se intencionalmente diante da possível perda do objeto de nossos desejos.* Fazer jejuns programados, para os que têm dependência de comida; sair sem dinheiro e olhar vitrines, para quem é viciado em comprar; ter discussões enfáticas com Deus, para os apegados à espiritualidade; sujeitar-se e deixar-se comandar, para os que têm apego ao poder; perder de propósito, para quem quer ganhar a todo custo; expor-se ao ridículo, para os que precisam de aprovação, e assim por diante. A ideia é submeter-se ao estresse que gera o apego para criar defesas.

Uma mulher tinha tanto medo de fantasmas que precisava dormir com as luzes acesas. Um dia, resolveu aplicar esse método e "assustar as assombrações". Nunca tinha visto uma, mas imaginava-as como nos velhos filmes de terror de Bela Lugosi: arrastando correntes, usando manto branco e de rosto pálido. O primeiro passo foi disfarçar-se de fantasma. Seu marido e os filhos colaboraram ativamente: talco no rosto, túnica branca, uma música tenebrosa ao fundo e correntes amarradas ao tornozelo. Quando o relógio dava meia-noite em ponto, vestida assim, ela tinha de chamar os fantasmas com a luz apagada e insultá-los. Abrir os closets, entrar intempestivamente no quarto, procurá-los debaixo da cama, nos armários, enfim, precisava desafiá-los e tirá-los de seus esconderijos. As primeiras tentativas foram difíceis, e minha paciente liberava adrenalina, mas pouco a pouco o pânico foi se transformando numa atitude mais corajosa. Após algumas semanas, o exercício a fazia sorrir e influenciou positivamente outras áreas da sua vida. Isso ocorreu, é bom esclarecer, num contexto de terapia e supervisão com profissionais experientes.

O medo de perder os apegos é como os fantasmas: "assustam mais de longe que de perto" (Maquiavel). Se você não se sujeitar a eles, perderão seu poder de intimidação. As palavras mágicas que surgem do desapego são: "Não tenho mais medo de perdê-lo: para mim, tanto faz se você se acabar ou for embora".

### 4. Confie em você

De certa maneira, somos o que pensamos. Se você acha que é inútil ou incapaz, se sentirá mal no que diz respeito a suas habilidades e as coisas não funcionarão bem. Mas se conseguir afastar os pensamentos derrotistas e fatalistas que caracterizam as pessoas medrosas poderá perseguir seus objetivos sem desanimar. Não se trata de autoengano ou de uma forma improvisada de autossuficiência, mas de realismo convincente. Se você passa o dia inteiro se convencendo de que vai fracassar, o medo de falhar baixará seu rendimento, o que produzirá maus resultados e fará com que suas profecias negativas se realizem. Você cria os monstros que o devoram. "Quem vive com medo nunca será livre", dizia Horácio. O medo o limita, o isola, o escraviza.

Quando um paciente me pergunta, em relação ao seu transtorno: "Eu vou me curar?", costumo responder: "Vamos lutar para isso". E um dos principais requisitos para lutar não é sabotar a si mesmo com autossugestões destrutivas: se você tem habilidade ou competência para enfrentar seus medos, faça-o de uma vez; se não as tem, aprenda-as, roube-as ou tome-as emprestadas de alguém, mas não fique de braços cruzados.

*O indivíduo sempre lutou para não ser absorvido por sua tribo. Se fizer isso, você se verá sozinho com frequência e, às vezes, assustado. Mas o privilégio de ser você mesmo não tem preço.*

NIETZSCHE

# LIÇÃO 5
## SE VOCÊ SE APEGAR, PERDERÁ A NOÇÃO DE QUEM É

**A IDENTIDADE DESORIENTADA**

A identidade pessoal é aquilo que você assume ser, a vivência e a representação que faz de si mesmo para se distinguir dos outros: "Quem eu sou? Para onde vou? O que quero? O que espero?".[54] São perguntas que nos fazemos conscientemente poucas vezes e que dizem respeito à nossa faceta existencial. A psicologia cognitiva já demonstrou repetidamente que a tendência natural de qualquer ser humano é buscar a *autoconsciência*: uma coerência básica entre o que se pensa, sente e faz para se reconhecer como indivíduo.[55] Embora o processo de identificar-se nunca termine de maneira definitiva, foi determinado que, por volta dos três anos, as crianças já começam a se definir e se diferenciar dos demais.[56]

Esse processo, basicamente normal, se desvirtua quando você começa a "se reconhecer" em alguém ou algo diferente do que você realmente é e deixa que a mente o absorva e o domine. Por exemplo: se identificar-se com a marca de um telefone celular, pensará que esse "rótulo" contribui para moldar sua pessoa: será da "família" iPhone, BlackBerry ou seja lá o que for. Desenvolverá um sentido de possessão e se sentirá dentro do grupo dos "eleitos". Ao se identificar com uma marca qualquer, não importa o produto, você será membro ativo desse "clube". O "eu" buscará a si mesmo no lugar errado. Segundo o budismo, a pessoa independente se mimetiza com o objeto de adoração (apego) até construir uma identidade falsa e desaparecer no outro.[57] Às vezes, ela tenta uma estratégia intermediária para preservar algo de si: "Quero ser *você* sem deixar de ser *eu*", dizia um jovem à namorada em meu consultório. Mas é absurdo desejar isso: se você se fundir com algo ou alguém, definitivamente deixará de ser você, será outra coisa, em geral uma mistura indecifrável. Não existe outra maneira de sobreviver com dignidade: o que define você é sua essência original, seu ser, por mais destroçado que seja, e nada mais.[58]

Como podemos saber quem somos? Temos lapsos de autoconsciência em que nos observamos sem máscaras e até a última célula contribui para a auto-observação, ou atenção plena (*mindfulness*). Isso acontece quando a mente se distrai e a olhamos sem enganos nem subterfúgios. Nesses momentos, não precisamos de senhas, pontos de referência nem testas de ferro, basta a admiração. O mestre zen Dogen Zenji, há oitocentos anos, expressava isso lindamente em um de seus versos:

> Quando, sem pensar,
> apenas ouço
> um pingo de chuva
> na borda do telhado,
> "Sou eu".[59]

Entendeu? Captou seu significado? É a fascinação de encontrar a si mesmo em qualquer lugar da vida. Talvez você já tenha sentido algo parecido e o descartado por medo ou por achar ridículo. "Sou eu": o encontro mais elementar e extraordinário ocorre quando o universo descobre a si mesmo por meio de você. Quantas vezes o pensamento sobra![60]

## O APEGO A UM NOME

Conheci um homem que vivia angustiado porque seu sobrenome iria desaparecer um dia, já que não havia descendência masculina na família. Um dia, ao vê-lo sofrer tanto, disse-lhe: "Em minha opinião, os sobrenomes, além de seu valor simbólico ou social, são meras convenções. Você me interessa como pessoa, independentemente de seu sobrenome. Para mim, é muito mais importante saber *quem você é* do que saber *como se chama*". Ele me olhou como se eu tivesse desrespeitado algo sagrado. De seu ponto de vista, *ele era seu sobrenome*, e eu estava dizendo uma coisa totalmente diferente. Sentir-se responsável por ser o "último sucessor de uma estirpe" tinha mais força do que qualquer argumento. Existem pessoas que se identificam com sua casa, sua profissão, seu trabalho, seu cônjuge, sua honra, sua história, sua religião, e por aí vai. São muitos "seus" para que possam andar tranquilo, há muito que cuidar.

O segredo para não cair em falsas identificações é aprender a diferenciar a *importância real* (objetiva, sem justificativas) da *importância fictícia* (exagerada e sem base na realidade) das coisas ou das pessoas às quais nos vinculamos. Os budistas são especialistas nessa questão de discernir o *verdadeiro* do *ilusório*, e algumas correntes psicológicas vêm seguindo seus passos. Dizem que, certa vez, Buda interveio na disputa de dois clãs que haviam decidido entrar em guerra por causa da construção de um dique que interferia no uso da água e da terra disponível:

– A terra tem um valor intrínseco, um valor duradouro? – perguntou Buda.

– Não – responderam os generais.

– Por acaso a água tem um valor intrínseco, um valor duradouro? – continuou Buda.

– Não, certamente não, mas os tempos exigem o sacrifício do sangue – alegaram.

– E o sangue dos homens tem algum valor intrínseco? – retomou o mestre.

– Seu valor não tem preço – concordaram todos.

Então, Buda disse:

– Generais, vocês acham sensato apostar o que não tem preço (o sangue) em troca de algo que nem sequer tem um valor intrínseco (terra e água)?

Diante de uma argumentação tão lúcida, os generais desistiram da guerra.[61]

No caso do meu paciente, a solução foi se desligar da "importância irracional" que ele dava ao seu sobrenome e aceitar o fato de que o modo de se chamar não tinha um valor intrínseco. Se olharmos os homens em sua verdadeira dimensão, deixando de lado as normas impostas pela tradição, eles perderão seu poder e valor e aparecerão sem dissimulação. Todos nós dormimos, comemos e suamos – entre outras coisas que ocorrem com o corpo –, seja qual for nosso sobrenome. Tanto faz qual é seu nome, o que importa é *quem você é*, e com certeza é muito mais que um nome, uma árvore genealógica ou um documento de identidade. Há apegos que não cedem, principalmente quando são originados na tenra infância e os aceitamos como uma imposição ou uma obrigação inevitável. *Alguns rótulos que nossos pais nos colocam parecem lápides.*

## O APEGO AO CONHECIMENTO

Quando lhe perguntam quem você é ou o apresentam a alguém, o que você faz? O que diz? A maioria das pessoas desfila um *curriculum vitae* brilhante, como se estivesse competindo por uma vaga de emprego: "Tenho tantos anos e exerço tal profissão". Obviamente, você é mais do que a atividade que desempenha e os conhecimentos que ela envolve, mas parece que muita gente os exibe como uma forma de aumentar o prestígio pessoal. A crença geral é a de que, quanto mais títulos ostentarmos, maior será a aprovação dos outros, bem como o respeito que têm por nós. É como se o fato de compilarmos artigos, datas históricas, biografias, revistas indexadas, definições, frases célebres e outras coisas do tipo nos situasse acima dos humildes mortais.

Para os apegados ao conhecimento, a regra é a seguinte: "Eu *sou* o que *sei*", o que, paradoxalmente, não deixa de ser uma besteira e um atestado de ignorância. Reunir informação e ter memória não diz nada sobre uma pessoa. Aprender não é acumular "conhecimentos" (resultados/produtos) como se fôssemos uma base de dados ambulante, mas sim apropriar-se do processo vivo do "conhecer". Da mesma forma, quanto mais cheia de informações estiver a mente, mais preso a seus pensamentos, teorias e conceitos você estará. Como posso descobrir alguma coisa e me desenvolver como ser humano se não me sobra lugar para a surpresa e a admiração?

Um homem muito instruído procurou um sábio mestre com o objetivo de ser seu aluno. Foi recebido por um assistente, que lhe perguntou quais eram seus motivos. O recém-chegado disse que queria se tornar discípulo do mestre. O assistente pediu-lhe que o aguardasse enquanto ia falar com o mestre. Depois de um instante, voltou trazendo uma folha de papel com algumas questões que o homem deveria responder. O visitante não demorou a fazê-lo, mostrando que era muito instruído. Assim que ele terminou, o assistente pegou a folha e se afastou. Em poucos minutos, retornou e disse: "O mestre me mandou comunicar-lhe que, como você demonstrou um grande conhecimento em suas respostas, ele o aceitará como discípulo dentro de um ano". O homem se sentiu envaidecido e ao mesmo tempo desapontado, pois precisaria esperar muito tempo. Antes de sair, perguntou:

– Tenho uma dúvida. Se tendo respondido corretamente às questões vou ter de esperar um ano, qual seria o prazo estipulado caso eu não tivesse respondido adequadamente a elas?

– Ah, nesse caso – explicou o assistente –, o mestre o teria aceitado imediatamente. Você, em vez disso, precisa de pelo menos um ano para se livrar de toda essa carga de conhecimento inútil que carrega.[62]

## Quem você é, na realidade?

Em seu cérebro existem três tipos de identidade que procuram sobrepor-se uma à outra: a *real* (o que você é), a *ideal* (o que você gostaria de ser) e a *obrigatória* (o que você acha que deve ser). Quando há muita discrepância entre o "eu" real e o obrigatório, pode surgir a ansiedade ("Não sou capaz de fazer o que se espera que eu faça"). E, quando a identidade real se afasta da ideal, às vezes a depressão se instala ("Gostaria de ser diferente, não me aceito"). A identidade real deve comandar as outras duas: o que você realmente é, abertamente e sem justificativas.[63] A seguir, apresento duas historietas em que se revela o problema da falsa identidade e suas possíveis repercussões.

### *A águia que agia como galinha*
Havia uma águia que crescera entre galinhas. Caminhava como elas, escavava a terra em busca de minhocas e até tentava cacarejar. Subia nas árvores e voava, mas não mais que isso. Sua consciência era a de uma galinha, mas seu corpo e seu ser, embora adormecidos, eram os de uma águia. Um dia, já velha, observou o céu e teve uma visão magnífica: um pássaro majestoso voava em pleno céu azul sem fazer o menor esforço. A águia ficou impressionada e perguntou a uma galinha que estava por perto: "Que pássaro é aquele?" A galinha respondeu: "É a águia dourada, rainha do céu, mas não se inspire nela; você e eu somos aqui de baixo". A águia nunca mais olhou para o céu e morreu acreditando ser uma galinha, porque foi assim que a trataram desde pequena. Seu pelo dourado, suas garras, seu porte e sua habilidade de cruzar os céus nunca se desenvolveram.[64]

### *O tigre que balia*
Havia um pequeno tigre que fora criado com ovelhas. Balia, movia-se como elas e corria atrás do rebanho. Um dia, apareceu um tigre adulto e, ao ver aquilo, pegou o animalzinho no colo e lhe perguntou intrigado: "Por que você se comporta como uma ovelha, se é um tigre?". Porém, o tigre-ovelha baliu assustado. Diante disso, o adulto o levou até a beira de um rio, colocou-o no chão e o empurrou para a margem. Ambos, lado a lado, se olharam no reflexo da água. O tigrezinho viu a semelhança, mas não se convenceu.

Então, o tigre maior lhe deu um pedaço de carne, mas o animalzinho nem quis prová-la. Quando o outro insistiu, ameaçando-o: "Experimente!", o tigre-ovelha não teve jeito senão levar a carne à boca e comê-la. Nesse momento, a carne crua liberou seus instintos mais primitivos e ele deu um rugido estrondoso. Havia reconhecido sua verdadeira natureza. E os dois animais se afastaram juntos.[65]

O apego não lhe permite fazer contato com sua própria essência, porque o distrai. O que você deve buscar? A autenticidade, a posse de si mesmo[66]; aquilo que revela seu instinto, seus genes, sua intuição e sua vocação mais essencial; seu selo de fábrica. É preciso definir a própria identidade sem demora. Há dois caminhos: passar a vida sonhando com aquilo que gostaria de ser ou de fazer ou assumir-se de uma vez. É verdade que há momentos em que precisamos de ajuda para iniciar a transformação, alguém que nos encare e nos impeça de cair no autoengano (como no caso do tigrezinho), mas a tomada de consciência final, o grande salto, cabe a você.

## A PRÁTICA DO DESAPEGO: COMO PROTEGER E RESGATAR A IDENTIDADE PESSOAL

### 1. Encontre a si mesmo
Você já sentiu alguma vez que está se perdendo e não consegue se encontrar? Então deve ter-se deslocado do eixo que regula seu comportamento. Muita gente não se foca no que é fundamental e vive fazendo o que não quer ou tentando ser o que não é. Pura perda de tempo! Passam o dia esperando um ajuste milagroso que nunca chega porque se desconectaram de sua essência. Quando você está sintonizado consigo mesmo, o esforço exigido

para realizar seus objetivos é menor e as emoções que o invadem são mais construtivas. A confusão surge quando o apego anula seu temperamento. Você quer se encontrar? Comece a ir atrás de sua paixão mais significativa. Todos nós temos alguma coisa que nos particulariza, a qual era evidente na infância ou na juventude e foi se diluindo à medida que crescemos. Uma paciente me disse: "Minha condição normal é ser rebelde, e em algum ponto do caminho me perdi. Antes era uma pessoa com personalidade, segura, irreverente e nem um pouco conformista... Quando penso nas coisas que fazia, sinto saudade... Gostaria de ser menos diplomática, menos equilibrada, menos condescendente e submissa".

Uma centelha de loucura nem sempre cai mal, às vezes serve para nos fazer fugir da austeridade. Como se encontrar? Pense numa coisa que você gostaria muito de realizar, que venha do fundo da sua alma; aí está o segredo. Traga-a para a superfície e encare-a sem anestesia: "Eu sou isto". Reacenda o fogo da espontaneidade que você apagou sem perceber. A boa notícia é que a essência não morre. Procure a si mesmo nas lembranças e na história que compõem sua vida. Leia-se como um livro, explore cada experiência passada e ali se encontrará, ainda ingênuo, ainda inquieto. E, quando fizer isso, o apego se chocará contra uma parede intransponível: "Se para estarmos juntos preciso deixar de ser eu, não me interessa". Seja um objeto, uma ideia ou uma pessoa, *se você perder um mínimo de sua identidade, é melhor desistir e ficar sozinho, livre e sem falsas demonstrações de segurança*.

### 2. Seja anônimo

Isso não é tão fácil como parece. A maioria das pessoas é educada para se destacar, e não para passar despercebida. Vivemos em uma cultura histriônica cuja lógica é altamente agressiva para a saúde mental: "Para sermos valorizados, precisamos mostrar nossos êxitos e nos gabar deles". Há uma necessidade de buscar o estrelato a todo custo. Se cultivar o anonimato, você ficará menos vulnerável ao apego porque se aproximará mais de seu "eu". E se fortalecerá à medida que conseguir manter distância dos agentes contaminadores, seja a publicidade, sejam as pessoas nocivas. É mais fácil conservar a identidade pessoal se você permanecer no anonimato, sem se preocupar com a aprovação dos outros nem com a obrigação de se igualar à massa para ser reconhecido.

Ser anônimo não lhe garante o desapego, mas o torna menos difícil. Heráclito dizia que devíamos imitar a natureza, que sempre trabalha em anonimato. Repito: não se trata de ser um ermitão afetivo, mas de garantir a si mesmo um lugar personalizado, um habitat emocional saudável: seu refúgio interior, sua fortaleza. Desapegar-se é reconquistar-se. Não é egoísmo nem egolatria, mas um sentimento pleno de autodomínio.

Tente explorar a região onde você vive. Dedique-se a atividades de que gosta sem procurar sempre companhia. "Eu comigo mesmo": leia uma revista, compre algo que lhe agrade, vá a lugares onde ninguém o conheça. Visite o silêncio, desfrute a solidão de estar em meio às multidões, navegando com seus pensamentos e emoções, enquanto está rodeado de pessoas. Sinta-se identificado com seu ser em cada sonho, em cada pulsação e em cada local por onde seu corpo se movimente. Você com sua pessoa, abraçado à existência mais profunda e convencido de que nenhum apego poderá separá-lo de si mesmo.

### 3. Livre-se dos rótulos que carrega nas costas
Você é o produto de alguns genes que interagiram com uma educação determinada: genética e aprendizagem misturadas para

criar uma vida humana. Quanto contribui o ambiente? O suficiente para salvar você de apuro ou destruir seu "eu". Você foi submetido a um bombardeio de regras e modelos de todo tipo: colégio, família, heróis da pátria e mil outras coisas. É um milagre que ainda tenha vestígios de independência. Dessa miscelânea de informações e desinformações, configurou-se em você uma maneira de ser, uma forma de conceber o mundo e olhar para si mesmo, de amar-se ou odiar-se.

Caso tenha aceitado passiva e resignadamente os rótulos que colaram em você, será como lhe disseram que devia ser, talvez uma galinha em vez de uma águia ou um cordeiro em vez de um tigre. Cabe a você decidir se vai optar pela troca ou se encaixar em uma personalidade emprestada; se vai se rebelar contra os qualificativos impostos socialmente ou assumir a falsa identidade que lhe entregaram.

Não acredite cegamente em sua aprendizagem. Se a observar com atenção, encontrará tantas contradições que vai querer modificá-la. Mas será possível mudar o passado? Ele está gravado em sua memória; portanto, se você alterar suas crenças atuais, alterará as marcas do passado e construirá um novo futuro. Procure se observar com um novo olhar. Alguém o chamou de imbecil? *Rebata essa afirmação*. Tentaram convencê-lo de que o sucesso é sinônimo de felicidade? *Desvende essa mentira*. Fizeram você acreditar que as pessoas valem pelo que possuem ou aparentam? *Vista-se com andrajos e desmonte esse argumento*. Não lhe ensinaram a ter controle sobre seu comportamento? *Adquira-o*. Não foi amado o suficiente? *Aprenda a se amar*. Proteste contra os que o enganaram ou compadeça-se dos que foram ignorantes! Mas faça isso logo! Não se trata de se vingar nem de se lamentar o tempo todo pelo que gostaria de ter sido e não permitiram. Simplesmente mude o chip e *seja você* a partir de agora. Não digo que o caminho seja fácil, mas é perfeitamente possível trilhá-lo. Não acredite nos rótulos, siga seu coração: só ele sabe quem você é realmente.

### 4. Declaração em defesa da identidade pessoal

O apego tenta nos definir ou nos bajular, oferecendo-nos uma fantasia que não nos pertence com a intenção de que a vistamos. Por isso, fique atento para que nenhum desejo deturpe sua singularidade: defenda o que você é na realidade. A declaração que lhe proponho tem cinco pontos:

- Não deixarei que nada nem ninguém desvirtue minha verdadeira natureza. Prefiro mil vezes sofrer a perda de um apego a deixar de ser eu mesmo.
- A espontaneidade será minha amiga, e tentarei, por meio dela, ter acesso àquilo que sou, sem subterfúgios nem autoenganos.
- Reavaliarei cada valor que me inculcaram, cada dever que me impuseram e cada culpa que senti. Deixarei que permaneça em mim apenas o que é bom e jogarei fora o que me magoa ou não me convém.
- Não imitarei ninguém. Somente minha opinião e minhas ideias orientarão minha conduta.
- Buscarei ser autêntico e honesto em cada ação da minha vida, procurando alinhar o que penso com o que sinto e faço.

*Um homem é rico em proporção ao número de coisas que pode dispensar.*

THOREAU

# Lição 6

## O APEGO É A POSSE EXACERBADA

### O "EU" E O "MEU"

O sentimento de posse, revelado nas palavras "meu" e derivadas, está intimamente relacionado com a necessidade de identificação. Enquanto o "eu" avalia e organiza a informação que chega ao cérebro, o "meu" tenta se apoderar dos eventos que lhe interessam e torná-los seus emocionalmente.[67] Quando o "eu" se identifica com o "meu", fica louco para monopolizar a situação: quer abarcar tudo. Transforma-se em ego, com todas as suas manifestações incluídas (egolatria, egocentrismo e egoísmo).

Certo dia, eu caminhava com um amigo por uma linda praia do Caribe, rodeada por um mar turquesa cristalino, que convidava ao descanso e à reflexão. De repente, meu amigo parou e me disse, um pouco irritado: "Não acredito que isto não seja meu!". Ele podia ir àquele lugar maravilhoso toda vez que quisesse, mas para ele não era suficiente. Pretendia comprar um pedaço de praia em uma região que era considerada patrimônio histórico e não estava à venda! Um pensamento irracional infiltrado em sua mente não o deixava usufruir aquele momento: "Se *não é meu*, não o quero" ou "Para que desejar o que não posso comprar?". Alguns colecionadores fanáticos também devem pensar assim: gostariam de ter a *Mona Lisa* em casa e desfrutá-la sozinhos, em vez de compartilhá-la em um museu. Quem tem complexo de senhor feudal é profundamente infeliz.

O "eu" apoiado no "meu" infla o ego e o torna mais pesado. Ao contrário, o "eu" sem o "meu" não ocupa tanto espaço mental. Você já foi a alguma reunião e sentiu que havia egos demais se enfrentando ali e ocupando o mesmo território intelectual, afetivo ou espiritual? Assista a qualquer entrega de prêmios e perceberá isso claramente. Cerca de mil anos atrás, o mestre e poeta sufi Jalal al-Din Rumi contava a seguinte história:

> Um homem se aproximou da casa de seu amigo e o chamou.
> O amigo perguntou: "Quem é?".
> O outro respondeu: "Eu!".
> Disse-lhe o amigo: "Vá embora, ainda não é o momento!".
> Durante o ano em que passou viajando, o homem sofreu terrivelmente com a separação do amigo. Ele amadureceu e voltou.
> Novamente, bateu à porta de seu companheiro.
> O amigo perguntou: "Quem está batendo?".
> Ele respondeu: "Quem está batendo é você".
> E o amigo disse: "Agora, como você é eu, pode entrar. Nesta casa, não há lugar para dois 'eus'".[68]

## Dono de nada

Possuir significa manter algo ou alguém sob controle e sentir-se proprietário daquilo que se domina. Embora possamos ser "legalmente" donos de muitas coisas, nem tudo se pode adquirir como em uma loja. Quando dizemos: "meu" empregado, "minha" esposa, "minha" universidade, "meu" sócio, o que queremos expressar? Por acaso posso ser dono de um amanhecer, de um dia de chuva, do perfume de uma flor, da pessoa que amo, dos filhos ou da família? O que possuo realmente, que coisas ou pessoas são verdadeiramente "minhas"? Acreditar que alguma coisa é minha, porque assim me indicam o desejo ou a fantasia, é um ato infantil e irracional. Uma paciente muito ciumenta se queixava: "Não suporto ver meu marido olhando para outra mulher: ele é *meu*", como se ela o tivesse comprado em um leilão de escravos. Sentir amor não outorga direito, nem intelectual, nem espiritual, nem físico. Ela pensava que tinha uma franquia vitalícia sobre o homem que amava; por isso, quando lhe perguntei por que o considerava "sua" propriedade, ela respondeu: "Porque o amo". O "meu" transbordava de seu coração. Segundo a antiga sabedoria grega, a única coisa que nos pertence, no aspecto psicológico, é aquilo que pensamos e sentimos, ou seja, nossas representações.[69] O resto tomamos emprestado ou alugamos enquanto passamos pela vida. Minhas avós napolitanas costumavam usar duas frases que agradariam muito a Buda: "Estamos aqui de passagem" e "Os filhos são emprestados". Era a versão mediterrânea da impermanência budista: tudo muda, não há nada fixo a que se apegar, e a mera tentativa de fazê-lo gera sofrimento. Ou seja: "Não se desgaste inutilmente: tudo passa e nada lhe pertence. Então, para que se apegar?". A vida é um movimento contínuo que flui, nos atravessa e nos arrasta até a extinção, juntamente com nossas queridas posses.

## Amar não é possuir

Quando uma pessoa apaixonada diz a outra: "Quero ser sua", "Você é meu", "Possua-me" e expressões semelhantes, não está pedindo para ser amada; o que ela pretende é ser invadida, sequestrada ou "possuída". O dependente emocional quer desaparecer no outro, incorporá-lo ou degluti-lo, e vice-versa. Se nos "pertencemos" mutuamente, a coisificação é dupla, assim como o efeito de ricochete. "Está com dor de dente, meu amor? Então *vamos tomar* um analgésico." Estar comprometidos saudavelmente é assumir que caminhamos juntos na vida, deixando bem claro quem é quem, em que pese ao romantismo. Ninguém é dono de ninguém. Se fosse assim, o divórcio seria quase como um exorcismo. Sinto muito pelos monopolizadores compulsivos de coisas e pessoas, lamento pelo "patrão" que existe dentro de nós e tende a sair quando menos esperamos: *amar não é possuir, amar é respeitar a liberdade do outro até as últimas consequências.*

Identificar-se totalmente com a pessoa amada significa pôr nossa vida nas mãos dela. Adoro minhas filhas, e elas alegram minha existência, mas não existo por *elas*. Podemos amar nossa profissão ou religião, mas somos mais do que isso. Qual é a saída? Como afirmei antes, o desafio é amar sem se despersonalizar, mantendo-se livre em cada ato. "Eu o(a) amo, mas conseguiria viver sem você" (embora o outro gostasse que nos suicidássemos em sua homenagem).

## O SENTIMENTO DE POSSE NOS ENFRAQUECE

O sentimento de posse não só nos rouba tempo e energia, pois temos de cuidar o tempo todo do objeto ou sujeito do apego, mas também nos torna emocionalmente mais frágeis aos ataques externos. A relação "possessiva" ou a "fusão" com algo ou alguém terá uma consequência inevitável: "Tudo o que acontecer com a fonte de apego se refletirá em nós". Até os delírios mais bizarros podem ser lógicos: *se incorporarmos algo ou alguém ao nosso ser, ele passará a fazer parte de nós; portanto, se alguém o agredir, isso afetará uma parte de nós, e, se o elogiarem, nosso ego exultará.*

Esses "prolongamentos emocionais" nos expõem desnecessariamente às agressões do meio ambiente e nos tornam mais vulneráveis. Um senhor me disse uma vez: "Se chutam meu carro, é como se tivessem batido em mim". Não digo que você deva se alegrar com uma porta amassada, mas daí a deixar que afetem sua autoestima é demais. Se me cumprimentam porque minha casa é bonita, na verdade estão cumprimentando minha casa, caso contrário seria como se parte do meu valor pessoal estivesse em um monte de tijolos. Minha casa é um "bem material" adquirido, mas não sou eu! Ela me pertence e eu moro nela, mas ela não mora em mim! Para esclarecer essa questão, os budistas usam o termo "instinto de posse", que consideram um dos elos mais determinantes da roda dos apegos básicos. Uma coisa é certa: quanto mais necessidade de posse uma pessoa sentir, menos saúde mental terá.

## A PRÁTICA DO DESAPEGO: COMO SE LIVRAR DA NECESSIDADE DE POSSE

### 1. Ter sem possuir

Como acabar com a sede de posse? Embora a solução seja complexa, é possível começar com algo muito simples, mas eficaz: trocar o *"desejo de posse"* pela *"vontade de desfrutar"*. Não se trata de fazer uma mera interpolação semântica, mas de uma transformação mais profunda e significativa a respeito dos ganhos pessoais. Trocar o "possuir" pelo "ter", sem se amarrar a algo ou alguém. Desfrutar enquanto o conservamos ou o queremos, como se fosse um empréstimo ou aluguel. Não digo que devamos odiar ou depreciar as coisas, mas precisamos *estar dispostos a perdê-las*, porque, gostemos ou não, a perda é inevitável. Enquanto esse dia não chega, podemos usufruir ou nos beneficiar do que recebemos e aproveitar da melhor forma possível. O *Diccionario Ideológico de la Lengua Española* traz a seguinte definição para a palavra "usar": "Desfrutar qualquer coisa, seja ou não o dono dela". Repetindo, para enfatizar bem: *desfrutar o objeto ou a pessoa que nos dá prazer, sem querer ou precisar se apossar de nada.*

Um dos meus pacientes desenvolveu uma obsessão curiosa: queria que as coisas materiais de sua casa nunca se deteriorassem. Por causa da teimosia típica desses quadros clínicos (transtornos obsessivo-compulsivos – TOC), ele lavava, limpava e controlava a sujeira para "retardar" o desgaste dos objetos que mais lhe interessavam. Passava horas tirando o pó dos móveis, cobrindo-os e proibindo que os outros os usassem. Ao analisá-lo mais profundamente, descobri que ele vinha de uma família humilde, cujo pai sempre valorizara em excesso os bens materiais, e por esse motivo associava seu sucesso profissional às coisas que possuía. Sua mente havia criado uma identificação errônea e confusa: se os objetos que conseguira com esforço e trabalho se "degradassem", ele também se degradaria. Aos poucos, foi melhorando, mas ainda tenta combater o problema. Nos casos muito patológicos, não é suficiente dizer a si mesmo: "Preciso desfrutar as coisas que tenho, sem possuí-las, sem me identificar com elas e sem que me definam como pessoa". Também é necessário lutar contra o impulso, resistir a ele e usar diversos métodos de intervenção, tendo sempre em mente que "ter não é possuir".

## 2. Não deixe que as coisas o dominem

Quando os apegos nos fazem sofrer, é melhor nos afastarmos deles emocional ou fisicamente. Há três opções terapêuticas: *parar de se importar com eles* (depreciá-los mentalmente), *considerar relativo seu valor* (reavaliá-los ou colocá-los "entre parênteses") ou *se livrar deles definitivamente* (eliminá-los da sua vida). É o jogo de quem domina quem: eu "possuo" tal objeto ou tal objeto me "possui"? Para ilustrar essa questão, transcrevo a seguir um lindo conto chinês:

Um valente general contemplava com admiração sua coleção de antiguidades. De repente, enquanto segurava uma de suas peças mais apreciadas, quase a deixou cair no chão. Nesse instante, o corajoso general sentiu um medo como nunca experimentara antes, nem mesmo nas guerras, quando enfrentava o inimigo e comandava milhares de homens. Porém, quando esteve a ponto de ver quebrada sua amada relíquia, tremeu como uma criança. Após meditar por algum tempo e sem o menor indício de raiva, o general pegou a preciosidade que por um triz não se quebrara e a destruiu deliberadamente.[70]

Resumindo: não deixe que o apego avance nem um milímetro, corte-o pela raiz e impeça que ele o seduza.

### 3. Transforme-se em um banco de névoa

Se não existir um "eu" que receba, capte ou queira conservar as situações ou as coisas, elas passarão por nós como se fôssemos um fantasma. O exercício é o seguinte: imagine a si mesmo como um ser nebuloso, sem nada de sólido em seu interior. Essa atitude geralmente faz com que a necessidade de posse diminua: você aprenderá a discernir entre o que vale a pena processar e o que deve descartar. A afirmação "Não me importa" combina perfeitamente com as frases "Isso não me diz respeito" ou "Não estou nem aí". Se você se chateia com alguma coisa que lhe dizem, é você quem a "capta" e a torna sua, caso contrário, a suposta ofensa continuará em sua inércia até o infinito (ou até que uma pessoa suscetível a capte). Quando você é um banco de névoa, sua mente não fica ali à espera de nada nem de ninguém; torna-se volátil, incorpórea e particularmente lúcida.

Suponhamos que alguém tente insultá-lo chamando sua mãe de prostituta e você de idiota. Se o seu eu "captar" o ataque, você se ofenderá e procurará defender a honra de sua mãe e deixar claro que seu Q.I. supera a média da população. Se o seu eu "não captar" a intenção maldosa, você poderá pensar: "Minha mãe não foi nem é uma prostituta, e não tenho nada contra esse tipo de mulher. Respeito a mim mesmo, se bem que algumas vezes me comporte como um imbecil; não sou um idiota no sentido exato da palavra, mas, mesmo que fosse, acho que todo mundo às vezes é". Então, não se apropriará das palavras nem se verá como alvo da investida. A linguagem passará por você sem afetar seu orgulho, ou seja, você não tomará consciência nem se apossará do que vem de fora com más intenções.

Quando for meditar ou orar, imagine que é um ser pensante e vaporoso ao mesmo tempo. Pense que as palavras passam por você sem deixar marcas nem rastros. Em nível psicológico, só pode lhe acontecer aquilo que você permite que ocorra; portanto, *se não se apropriar de nada, não terá nada a perder*. Pergunte a você mesmo por que tenta tornar emocionalmente "seu" algo que não lhe pertence e sentirá como essa atitude é absurda. Volto a afirmar: "Estamos aqui de passagem", e, quanto mais depressa você compreender isso, mais simples e maravilhosa será sua vida.

No século passado, um turista dos Estados Unidos visitou o famoso rabino polaco Hofetz Chaim.
Chegando à casa dele, ficou admirado ao constatar que seu

lar se resumia a um cômodo apinhado de livros. Os únicos móveis que havia eram uma mesa e um banquinho.
– Rabino, onde estão seus móveis? – perguntou o turista.
– E os seus, onde estão? – replicou Hofetz.
– Os meus? Mas sou apenas um visitante que está de passagem – disse o americano.
– Eu também estou – afirmou o rabino.[71]

**4. A paisagem como meta**
Quando falo de mobilidade, não me refiro apenas a estarmos imersos na dinâmica do universo e da natureza, mas também ao nosso movimento interior. A felicidade, se é que existe, nem sempre consiste em chegar ao destino; na maior parte das vezes, basta saber viajar e desenvolver uma *motivação intrínseca*.[72] As pessoas que conseguiram se livrar do instinto de posse não esperam o grande resultado para se sentir bem, não ficam obcecadas com o troféu; entendem que o "processo" é a parte operacional da vida, o essencial. O que fazemos, a intenção em si, independe das consequências, conserva um encanto especial. Não se esqueça de apreciar a paisagem enquanto viaja. Procure seriamente semear sem esperar frutos, rir por rir, jogar por jogar, estudar por estudar, escrever por escrever. O processo de "ir até" é tão importante como o de "chegar lá".

**5. Declaração de autonomia afetiva: "Você não é responsável pela minha felicidade."**
Enquanto lê esta pequena reflexão, imagine que está se dirigindo à pessoa da qual depende. Lembre-se apenas de que, se acreditar que alguém é responsável pela sua felicidade, vai querer possuí-lo para que nunca lhe falte nada.

Sinto muito, mas você não é responsável pela minha felicidade. Não, não é, e por esse motivo me liberto. Eu me nego a pôr minha vida emocional em suas mãos. Se você fosse meu provedor de felicidade, sua ausência seria o fim do mundo para mim e eu viveria numa situação crítica. Não quero tentar "me apossar" de você, não me siga, você não me interessa. Meu bem-estar e minha autorrealização dependem basicamente de mim; as demais coisas contribuem, é claro, ajudam, mas o processo interior de configuração de meu ser autêntico não virá de fora nem será pego emprestado. É uma questão de princípios e de estética. Não quero apenas melhorar, quero fazê-lo com a inspiração de um artista, como uma obra que me dê satisfação. É muito penoso se encarregar da felicidade de alguém! É uma tarefa dificílima, para não dizer impossível!

Prefiro respirar por conta própria, andar sem muletas e ser como sou. Não quero pertencer a você, nem que você me pertença. Podemos ficar juntos, se tivermos vontade, mas nada de vivermos "um para o outro", por favor! O bem-estar psicológico ou o desejo de ser feliz exigem um compromisso pessoal e intransferível. Não é algo que possamos receber, comprar ou possuir por decreto: é intransferível. E, como não estou à venda, e espero que você também não esteja, temos a oportunidade de ser livres. Você não define minha existência nem eu a sua, caso contrário não poderíamos viver um sem o outro. Felizmente, você não é responsável pela minha felicidade nem eu sou seu amo e senhor. A melhor relação que podemos ter é não nos pertencermos. Quem não possui o outro o respeita, e isso é beleza, ternura e desapego.

*A vida é aquilo que acontece enquanto você está ocupado fazendo outros planos.*

John Lennon

# Lição 7

## O APEGO REDUZ AO MÍNIMO A CAPACIDADE DE SENTIR PRAZER

### O APEGO INVASOR E A REDUÇÃO HEDONISTA

A dependência exige demais. A pessoa apegada gasta muito tempo e energia para manter o vínculo ativo, e isso reduz sua capacidade de ter satisfação em outras áreas da vida. O prazer se concentra principalmente no objeto ou na pessoa que origina o apego, e não sobra espaço para mais nada. Essa "absorção" surge em todas as dependências e vícios: *não há nada melhor, mais intenso e agradável que estar profundamente enredado com a fonte de apego*. A determinação é a seguinte: "Sem você, nada tem sentido". Os budistas chamam de *karatala* (em sânscrito)[73] o estado em que a mente é fisgada pelas exigências dos impulsos e se submete a eles.[74]

A demanda emocional do apego é tanta que não há tempo psicológico para mais nada: a atenção, a percepção e a memória se põem a serviço de um desejo incontrolável e implacável. Estar apegado é um trabalho *full time* que nos seca por dentro. E aqueles que conseguem se livrar desse inferno pessoal devem tentar resgatar o prazer de viver que haviam deixado para trás.

Um paciente apegado ao poder, depois de uma crise econômica, me disse: "Não me lembro de como eu era antes...".

Respondi: "Pelo que você me contou, antes era uma pessoa mais alegre e animada: gostava de sair para caminhar, ver o pôr do sol, jogar bilhar com os amigos, cozinhar de vez em quando, fazer amor com sua mulher e brincar com os filhos". Ele pensou por um momento e disse: "É verdade. Não sei o que aconteceu... Perdi a vontade de viver". Expliquei-lhe que o apego é especialista em roubar energia vital. A ânsia pelo poder e pelo dinheiro o havia afastado de sua base segura, da família e dos amigos mais queridos. Porém, como em geral acontece nesses casos, as pessoas descobrem que, embora tenham confundido o importante com o supérfluo, em situações de crise o que permanece é a mão estendida dos afetos verdadeiros.

## O APEGO AOS FILHOS

Conheci uma jovem mãe de 25 anos que vivia obcecada pelo cuidado dos filhos pequenos. As crianças costumavam brincar tranquilamente sem correr nenhum risco, mas ela não conseguia deixar de vigiá-los nem por um instante. Dois medos básicos a mortificavam constantemente: "Pode acontecer algo com eles" e "Se alguma coisa ruim ocorrer com eles, serei responsável". Por causa dessa preocupação/apego, sua vida não era mais a mesma: afastara-se das amigas, a relação com o marido ia de mal a pior e ela não se interessava mais pelo trabalho. Os filhos a absorviam totalmente, e o ato de ser mãe parecia incompatível com uma qualidade de vida mais equilibrada e harmoniosa. Certo dia, lhe fiz a pergunta obrigatória: "Você não acha que deveria exercer seu papel de mãe de maneira mais relaxada?" Ela abaixou a cabeça e não respondeu. Sabia disso, mas não se sentia capaz de mudar seu comportamento. As crianças, evidentemente, não tinham culpa de nada, mas, embora não fossem lerdas nem preguiçosas, tiravam proveito da situação exigindo atenção e fazendo birra por tudo, o que fechava o círculo confirmatório típico das mães inseguras: "Se eles se comportam mal, a culpa é minha". Ela vivia esgotada e mal-humorada, emagrecera e sua aparência física era lamentável. Uma vez me disse, quase gritando: "Mas são meus filhos!", ao que respondi: "Não há dúvida de que seus filhos merecem o melhor, mas o que não deve acontecer é que, para educá-los, você se destrua psicológica e emocionalmente. É um paradoxo que, por amá-los tanto, não possa ajudá-los a crescer por causa do estresse e da ansiedade com que tem de lidar".

As "supermães" e os "superpais" não entendem que uma coisa é se encarregar dos filhos de maneira responsável e eficiente e outra é se tornar obcecado por eles. A preocupação exagerada com os filhos resulta na anulação da própria identidade e quase sempre em problemas familiares e conjugais. Quando minha paciente compreendeu que eles não eram um prolongamento do seu ser (amor sem posse e sem identificação), conseguiu desapegar-se e estabelecer um vínculo afetivo razoável com os filhos. Primeiro teve de se reconhecer como mulher, para só depois exercer seu papel de mãe. Se algum paciente me diz que "o sentido da sua vida" são os filhos, começo a me preocupar.

## O AMANTE LIBERTADO

A questão é a seguinte: *a dependência acaba com sua capacidade de se surpreender e faz com que a vida cotidiana se torne grotescamente previsível.* Quando o desejo se transforma em apego, tudo gira ao seu redor. Muitas vezes, você faz o mesmo para obter o mesmo. Como um pequeno hamster enjaulado e correndo sobre uma roda, você fica pedalando sem sair do lugar. Apegar--se é criar rotinas, porque *o outro* ocupa o último resquício de sua mente e você não pode fazer contato com o novo. Não há surpresas.

Um de meus pacientes cuja amante o havia abandonado sem a menor consideração depois de um relacionamento de vários anos me disse: "Fiquei preso por oito anos... Era como viver em um cárcere, mas me sentia feliz por estar lá... Tudo o que me interessava era ela, o que ela me dizia e saber se podia vê-la ou não. Agora quero ver a luz e sentir o sol no rosto... Toda vez que nos encontrávamos em algum hotel decadente, fechávamos as cortinas para nos esconder; nosso mundo era a reclusão. Hoje me sinto leve, livre... É uma sensação estranha, como se meu cérebro tivesse se reformatado. Agora me sobra espaço mental e afetivo...". Ele teve a sorte que muitos apaixonados vítimas do apego não têm: sua amante se interessou por outro e lhe deu a alforria. A fonte do prazer o deixou. Há muitas pessoas que sofrem de dependências emocionais e psicológicas e acreditam estar no céu, quando, na realidade, só fazem empobrecer ao extremo sua experiência vital. Somente quando surge a opção de desapego, de soltar-se e desatar o nó afetivo que as aprisiona (e é preciso ser corajoso, porque essa atitude implica jogar muitas coisas pela janela), elas renascem para uma vida que haviam esquecido.

Aqui vai um pequeno conselho: escreva a seguinte frase em algum lugar e, quando a rotina se apoderar de você, leia-a e deixe-a penetrar em sua mente para que possa readquirir o controle: "A vida é a surpresa constante de saber que existo". Mas que fique bem claro: "surpresa constante".

## O APEGO AO TEMPO E À VELOCIDADE (O "AGORISMO")

Nunca andamos tão rápido, tão apressados, tão ajustados ao relógio como na atualidade. Apertamos uma tecla e a informação chega do céu, do ciberespaço ou da "nuvem", como se nossos desejos fossem ordens. Tudo conflui para que você tenha o que quiser no menor tempo possível. Pode falar, conversar, escrever, movimentar dados, fotos, vídeos ou aparecer ao vivo e em cores, tudo à distância e quase simultaneamente. Você me observa, eu o observo e os links nos conectam: voyeurismo e comunicação se conjugam em uma realidade virtual cada vez mais precipitada. Com tal velocidade, a urgência de tempo se transformou em "apego ao agora", o "agorismo", que não deixa espaço para o fenômeno da espera.

Antes do auge da nova tecnologia, a "espera" estava mais perto do devaneio do que da angústia. Lembro-me de que, durante um período da minha vida, quando minha então namorada mudara de cidade, nós nos correspondíamos regularmente. Toda semana chegava uma carta dela em um envelope perfumado (seu código) cor de caramelo. Daí eu me trancava no quarto feliz e ansioso para lê-la. Ria, me emocionava, sentia saudade, uma ponta de ciúme e me punha a par de sua vida. Respondia logo em seguida e levava a carta correndo ao correio, depois de borrifá-la com umas gotas do meu perfume (meu código). Esperar a próxima carta não era motivo de angústia para mim, mas sim de expectativa alegre: "Falta pouco", pensava, como quando aguardamos um acontecimento que nos agrada e a ilusão se mistura com um tanto de ansiedade saudável. Quando não havia internet nem celular, o fenômeno da espera não costumava gerar preocupação, vivíamos com ele da mesma forma como aceitamos as leis da natureza. Não quero com isso negar a importância da internet nem das demais ferramentas semelhantes. O que acho preocupante é a baixa tolerância à incerteza produzida pelo "agorismo".

O apego ao tempo e à velocidade se manifesta também na *obsessão pela atualização*, por passar à frente, estar na dianteira e adquirir o equipamento de última geração antes que se torne obsoleto. O problema dos apegados à atualização é que tudo caduca subitamente, e, quando imaginamos que estamos quase conseguindo o que queremos, percebemos que falta algo. Alguém nos disse que existe um quebra-cabeça e que, se o montarmos, seremos felizes, mas a forma vai mudando sem parar e as peças nunca são suficientes. Aprendemos que a atualização é uma virtude, porém tudo contribui para vivermos atrasados em matéria de informação. Se você é vítima desse tipo de apego, sugiro que não vá visitar as grandes feiras de tecnologia: sentirá que lhe falta algo e se verá obrigado a comprar nem que seja uma interface USB para se sentir "menos incompleto".

O pior dos pecados pós-modernos é deixar as horas passarem sem aproveitá-las. Hoje em dia, a maioria das pessoas se queixa de "falta de tempo". Todas gostariam de ter um dia mais longo ou comprar minutos e inseri-los à força em um dia normal. É proibido postergar ou adiar algo: "Temos de conseguir e fim!". Se você não for diligente e veloz, estará *out* e fora do mundo produtivo. Será considerado retardado e lento.

A lentidão nos estressa, e a aceleração nos mantém hiperativos. Não há tempo para relaxar, para a antiga filosofia de boteco, para nos olharmos um pouco no espelho sem correria e cantar com uma escova na mão, imitando nosso cantor preferido. Não falamos mais conosco nem lemos antes de dormir. Tampouco sobra tempo para nos mimar ou desfrutar os prazeres da vida bem devagar, como faria um bom hedonista. Há quanto tempo você não se permite sentir preguiça, saboreando-a e de maneira coerente? Alguns anos atrás, quando nos dispúnhamos a não fazer nada, dizíamos: "Vamos matar o tempo". E não era um ato passivo ou indolente, a intenção era ocupar as horas que passavam em câmara lenta sob nosso nariz.

Continuando em meu elogio à vagarosidade, conto mais uma historinha:

> Quando perguntaram ao mestre se ele ficara desanimado com o escasso fruto de seus esforços, este contou a história de um caracol que tentava subir numa cerejeira num agradável dia de primavera. Assim que o viram, alguns pardais que conversavam numa árvore perto dali caíram na gargalhada. Um deles disse: "Escute, seu estúpido, não sabe que não há cerejas nesta época do ano?" O caracol retrucou, sem interromper a subida: "Não faz mal. Quando eu chegar lá em cima, já haverá muitas".[75]

## A PRÁTICA DO DESAPEGO: COMO VENCER A REDUÇÃO HEDONISTA QUE GERA A DEPENDÊNCIA

### 1. *Exploração e ensaio do comportamento*

É preciso buscar, perguntar, não se resignar à rotina nem desperdiçar as opções de prazer que a vida oferece. Não digo que devamos nos deixar levar desesperadamente pelo desejo; o importante é difundir pelo mundo a capacidade de desfrute para obter seus benefícios, como quem rega um jardim. O apego limita nossa visão e nos conduz para um lugar só, como se não houvesse mais nada agradável e atraente no mundo. Aceitar isso passivamente é se anular como pessoa.

Procure não repetir o que outros fizeram ou disseram que você devia fazer, como se fosse um robô. Não se torne previsível. Ensaie novos comportamentos e fuja dos lugares-comuns. Sua mente está apta a explorar além do óbvio. Varie os esquemas tradicionais, atreva-se a descobrir, não se conforme com o que é evidente. Conheço gente que usa o mesmo penteado, se veste da mesma maneira e lê os mesmos livros há vinte anos. É lógico que cada um sabe o que funciona melhor para si e o que lhe faz bem, mas, se você se mantiver parado no nível fundamental, sua mente se contaminará como a água parada de um tanque.

Não espere estar seguro para começar a viver. Não existe essa segurança. Experimente alimentos novos, explore novas formas de se vestir, faça cursos exóticos, leia livros proibidos, tinja o cabelo, escreva um romance que ninguém leia, paquere mais, durma no chão, viaje sem rumo, mude suas práticas, livre-se da tradição imposta pelo apego e então perceberá que a dependência vai perder força e atenuar o impacto sobre sua mente. Concentre-se nesta frase: "O apego não é a única coisa que conta: existe vida em outros lugares". Se você conseguir se convencer seriamente disso e com toda a energia possível, o apego será esmagado pelo próprio peso.

## 2. O medo irracional de perder o controle

A fobia do novo existe e é mais comum do que se imagina. Os que sofrem desse mal se acostumaram tanto a ficar quietos que o movimento cria neles estresse e angústia. Uma de minhas pacientes, quando saía com algum homem interessante e tomava algumas taças de vinho, logo em seguida bebia um litro de água para diluir o efeito do álcool e evitar assim a "perda de controle" (era apenas vinho, e ela não era nem um pouco alcoólatra). É verdade que, se estivesse com um psicopata em potencial, seria conveniente nem cheirar o vinho e levar um guarda-costas consigo, mas os pretendentes dela eram homens normais, que não tinham nada de assassinos em série. O que a tolhia era o medo de ser socialmente inadequada ou sentir-se ridícula.

Quando o medo de perder o controle o dominar, pergunte-se, com uma mão no coração e outra no cérebro, se existe um risco considerável e objetivo de que alguém o magoe. Se o risco for real, afaste-se; porém, se forem apenas previsões catastróficas, fruto de suas fraquezas, aproveite o momento e viva. Há pessoas descontroladas e outras que seguram as emoções: o ideal é encontrar o meio-termo. *Se você não tem nenhuma vulnerabilidade especial que o predisponha a meter-se em encrencas e seu comportamento é inofensivo para você e para os que estão à sua volta, por que não?*

Deixe que a espontaneidade também ocupe um lugar em sua vida. Ter uma personalidade encapsulada não o torna melhor nem especial, só serve para limitá-lo. Não estou sugerindo que seja irresponsável, mas que não se deixe levar por um controle asfixiante. Lembro-me de uma paciente que se controlava durante o orgasmo porque não queria se exceder. Tinha medo de mostrar o prazer sem inibições. Se isso acontece com você, a solução é fácil: simplesmente deixe-se levar. Permita-se ir e vir; afinal, o orgasmo é *seu*, o prazer é *seu*, e você não está fazendo mal a ninguém. Teme que o vizinho reclame dos seus gritos? Então abaixe o volume sem reduzir o clima de erotismo. E, se seu parceiro(a) se escandalizar, procure outro que saiba cantar um dueto sem ressentimentos. "Sentir pouco" não é uma virtude, é um sintoma.

### 3. O espírito de rebeldia contra a autoridade castradora
Para romper as amarras do apego é necessário, além de força de vontade, certo espírito de rebeldia. Devemos assumir uma atitude de oposição diante das repressões e dos modelos autoritários que tentam influenciar nosso comportamento, reprimindo-o ou

"canalizando-o". Contudo, segundo Erich Fromm, nem toda autoridade é negativa. Existe uma autoridade racional, respeitada e admirada, que considera os outros como iguais. E também existe uma autoridade irracional que é imposta à força, não é respeitada e incentiva a desigualdade.[76] As pessoas que foram vítimas de uma educação baseada na autoridade irracional (autoritarismo) costumam ter pouca iniciativa e tendem a se resignar com sua sorte. Temem ir contra a ordem estabelecida e, obviamente, evitam qualquer mudança que afete a tradição. O culto à autoridade reprime o espírito aventureiro.

Torne-se mais espirituoso, revolte-se de vez em quando, sobretudo quando se sentir muito sufocado pelas regras ou repressões sem fundamento. Insurgir-se contra a própria existência é combinar de forma adequada a desobediência com a amabilidade. Às vezes, você pensa: "Não estou com muita vontade de fazer isso". Mas não reage. Não se trata de ser rebelde sem motivo, mas de defender sua própria essência; portanto, rebele-se contra a moda ou os costumes estabelecidos. Há ocasiões em que é importante se afastar do rebanho e não nadar conforme a corrente, mesmo que o vejam como um ser bizarro. Você é único; pode não ser perfeito, mas não há ninguém igual a você. E, pelo simples fato de ser uma singularidade pensante, tem o direito de discordar quando achar que vale a pena! Pratique-o!

O apego não se instala de maneira tão fácil nas mentes inquietas que se opõem energicamente ao conformismo. Para enfrentar a dependência, é necessário se dispor a ser interiormente livre e não aceitar que lhe digam como pensar ou sentir. O que deve fazer? A partir de hoje, sem justificativas, seja você mesmo e não se preocupe em ser cortês com nada nem com ninguém. As pessoas apegadas às normas vão protestar contra sua atitude, pois não gostarão de ser confrontadas. Isso não é problema seu. O apego nos faz ver a vida pelo buraco da fechadura em vez de abrir a porta escancaradamente. Tudo fica menor e distorcido. Você já assistiu ao filme *O show de Truman*? Nada é para sempre, nada é como parece e tudo pode mudar, inclusive o medo e o vício que nos manipulam como bonecos. O espírito de rebeldia lhe garante que, se o apego o atacar, não encontrará uma presa fácil. Torne-se insuportável para as mentes rígidas.

# TERCEIRA PARTE

## Por que nos apegamos? Três portas que conduzem ao apego

*Devemos despojar-nos de todas as amarras.*
*Quem não se apega ao nome ou à forma*
*e não considera nada como sua propriedade*
*não será destruído pela amargura.*

Dhammapada

Existem três maneiras pelas quais o apego se instala na mente, seja qual for sua origem. Conhecer essas "entradas" permitirá a você identificá-las e enfrentá-las. As portas a que me refiro são: a) a fraqueza pelo prazer; b) a incapacidade para resolver os problemas pessoais e buscar provas de segurança; e c) a ambição desmedida e a compulsão por "querer mais".

Isso não significa que você deva odiar o prazer, recusar a ajuda dos outros ou repudiar o progresso. Refiro-me ao apego, que implica a avidez, a necessidade imperiosa e a obsessão; ao engano que cometemos quando achamos que algo ou alguém nos presenteou com *prazer* eterno, segurança *total* e *garantia absoluta* de autorrealização. São expectativas irracionais que nos impedem de ter uma vida saudável.

Nada nem ninguém pode lhe dar o impossível. Reaja enquanto é tempo, não atravesse o umbral das dependências e passe o ferrolho em todas as portas.

*O prazer é como certas substâncias medicinais: para obter constantemente os mesmos efeitos, é preciso aumentar a dose, e esta provoca a morte ou o embrutecimento.*

Balzac

# Lição 8
## A fraqueza pelo prazer (primeira porta)

### O processo de apego ao prazer: versão rápida e versão lenta

Na primeira vez em que experimentamos uma sensação intensa de prazer, todos nós temos o mesmo tipo de reação: gostaríamos de congelar o tempo e prolongar ao máximo a satisfação. A mente não se conforma facilmente com a perda e, enquanto desfruta a situação, diz a si mesma: "Espero que nunca se acabe, que dure a vida inteira!". E, quando o evento inevitavelmente termina, criamos uma imagem do que aconteceu e passamos a alimentar uma esperança nostálgica: "Quero sentir isso de novo!". A ilusão que nos reprime anseia converter o efêmero em eterno e tornar o prazer sempre disponível.

Às vezes, a experiência de prazer é tão intensa que basta um encontro. Nunca lhe aconteceu isso? Você conhece alguém, se envolve num piscar de olhos e fica completamente fixado pela pessoa. O mais surpreendente é que, mesmo depois de vários anos, ainda consegue descrever cada detalhe daquela história, como se tudo tivesse ocorrido minutos atrás. Trata-se de um apego marcado a fogo, não importa que tenha durado apenas algumas horas ou uma noite; e, ainda por cima, é resistente ao esquecimento. Esse condicionamento primário e básico possui a força de um furacão categoria 5. Vejamos um caso a seguir.

Um jovem paciente que ganhara um prêmio de literatura no colégio quando era menino foi vítima dessa "fixação emocional". Tinha apenas treze anos quando leu seu conto vencedor diante de um salão apinhado de gente e recebeu um estrondoso aplauso do auditório. Alguns até gritaram, como no fim de um concerto: "Bravo! Bravo!". A algazarra daquelas pessoas penetrou em seu cérebro como uma lança, marcando-o pelo resto da vida. Em uma consulta, descreveu assim o ocorrido: "Senti que flutuava, que era um ser especial, um pequeno gênio. Eu me transportei para outro mundo...". Ele havia experimentado uma das drogas mais viciantes e pesadas: a aprovação social. Não houve necessidade de quantidades extras nem de reforços esporádicos; bastou uma única exposição para ele querer repetir e perpetuar o efeito de "sentir-se especial e admirado" pelos outros. Depois de adulto, quando já era um jornalista famoso, a necessidade de escrever um grande romance e ser reconhecido por outros escritores tornou-se uma obsessão tão grande que o levou a procurar um psicólogo. Estava preso a um jogo mental altamente pernicioso: a ansiedade pelo sucesso lhe roubava a criatividade, o que afetava a qualidade de seu trabalho, e isso, por sua vez, aumentava sua ansiedade paralisante. Sentia-se um fracassado, e as sessões de terapia, embora o tranquilizassem um pouco, não o ajudaram muito. Precisava promover uma revolução interior, mas não conseguia. Ainda hoje, tenta escrever algo grandioso e excepcional e reviver aquela experiência extraordinária que aconteceu trinta anos atrás e o empolgou. Conheci artistas que dariam a vida pelos aplausos do público e outros que são capazes de atuar com a mesma paixão e entrega tanto para um quanto para mil espectadores. O que move esses últimos é o regozijo de uma boa interpretação *por si só*, e não a aprovação que vem de fora. Não é fácil alcançar esse nível de independência, mas vale a pena tentar.

O apego ao prazer também pode se dar em pequenas doses sucessivas, que vão aumentando à medida que o tempo passa (versão lenta). Depois que você prova alguma coisa que lhe agrada, mesmo que não lhe toque a alma, a sensação positiva fica latente até se somar à próxima experiência; na segunda experiência, você gosta duas vezes mais do que gostou antes; na terceira, três vezes mais; e assim por diante. Em poucas semanas, já é uma progressão geométrica incontrolável: o prazer se eleva à enésima potência, e você não pode mais prescindir dele. Novamente, a mente subjugada e enlevada começa a lhe suplicar em voz baixa: "Vamos repetir, por favor!".

## A IMATURIDADE EMOCIONAL COMO VULNERABILIDADE AO APEGO

Atrás do apego se esconde um processo de imaturidade emocional que torna as pessoas *mais suscetíveis ao prazer* e *muito pouco tolerantes à dor*.[77] Tive uma paciente com esse perfil que revelava muita dificuldade de enfrentar a vida. Sua resistência ao desconforto era mínima; quando sentia fome, sono ou qualquer outra necessidade biológica, ficava de mau humor. A carência desorganizava sua vida e a tornava incapaz de lidar com qualquer problema, por menor que fosse. Além disso, era altamente suscetível a criar dependências, porque o prazer a dominava e ela não conseguia renunciar a ele. A vulnerabilidade a conduzia a dois extremos: ou *ficava presa a cada situação de prazer, ou entrava em crise quando as coisas não aconteciam como ela esperava.* Sua vida era um sofrimento contínuo, pois, por mais que ela se esforçasse, a realidade não se adequava a suas exigências. Em seu corpo de mulher adulta, vivia uma menina egocêntrica que se negava a crescer e tinha uma tolerância muito baixa à frustração. Só depois de vários meses de terapia ela começou a mudar o padrão de imaturidade e a crença de que a vida era uma extensão do seu ser. Em uma consulta, comentou, num desabafo: "Como é difícil crescer!".

Como saber se uma pessoa é emocionalmente imatura? Os especialistas concordam em alguns pontos. Se você não amadureceu o suficiente (infantilismo cognitivo), pode se identificar com a maioria das seguintes características[78]:

- *Baixa tolerância à dor.* Você não suporta o desconforto, seja de onde vier. O menor sofrimento é um pesadelo, e você faz qualquer coisa para evitar a dor física ou psicológica.
- *Busca exagerada de sensações.* Sua atitude é a de um devorador de emoções. Nada é suficiente para você, que se mostra dependente de novidades e estímulos.
- *Baixa tolerância à frustração.* Se as coisas não acontecem como você gostaria, fica nervoso e emburrado, embora às vezes dissimule esses sentimentos.
- *Enfrentamento dirigido às emoções.* Quando tem um conflito, você se preocupa mais em aliviar seu mal-estar do que em resolver a questão em si (o que perpetua os problemas, porque ficam sem solução).
- *Pouca introspecção.* Você tem dificuldade para se observar, o que pode levar a um autoconhecimento pobre.

- *Ilusão de permanência*. Você mantém e defende a crença irracional de que o mundo é estático e não muda muito. Sua mente não está preparada para a perda.
- *Alta impulsividade*. Seu autocontrole é deficiente e os estímulos têm grande poder sobre seu comportamento. Falta-lhe atitude reflexiva. É provável que aja antes de pensar.

Amadurecer significa "observar o que você é" e desvendar o autoengano sem anestesia. Quando o príncipe Sidarta descobriu a existência da velhice, da morte e da doença, despertou para a crua realidade. Amadureceu emocionalmente à força e graças ao realismo mais severo. Seu pai e o séquito que o rodeava o haviam feito acreditar que tudo era lindo, cômodo e eterno para mantê-lo "a salvo" do sofrimento natural da vida. Mais tarde, a dolorosa verdade o converteu em Buda.

## A RAIZ DE TODO APEGO: A ILUSÃO DE PERMANÊNCIA

Khalil Gibran, num elogio à "instabilidade", escreveu:

> O homem é como um poema escrito na superfície de um córrego.[79]

Tudo passa, tudo corre, não importam nossas objeções ou maus humores. Convivemos com a incerteza e temos de improvisar para sobreviver: somos seres móveis que precisam se adaptar a cenários abertos que nunca se resolvem definitivamente. Não digo que o planejamento não seja importante, mas devemos ser flexíveis e não nos apegar cegamente a nada. Vista dessa maneira, a vida pode assustar. Um ditado popular sustenta, a título de consolo, uma das vantagens da impermanência e da mutação constante das coisas: "Não há mal que sempre dure, nem bem que nunca se acabe". A impermanência é uma característica de todas as coisas: o amor, o poder, a vida, o sofrimento, a beleza, a fama, o tempo, a tecnologia, os amigos, a espiritualidade, o modo de pensar, a saúde, a família, os filhos, o trabalho e por aí vai.

Uma paciente me procurou porque, embora tivesse sido uma atriz de cinema muito famosa na juventude, agora se sentia "ultrapassada". Chamo isso de síndrome da atriz ou do ator em decadência, a qual poderia se estender a qualquer outra profissão (esportista, empresário, político etc.). A nostalgia e a decepção se misturam: "Eu era muito bom no que fazia, as pessoas me respeitavam, não sei o que aconteceu...". Temos dificuldade de assimilar serenamente o que foi e não é mais. Minha paciente, como se fosse uma Greta Garbo no exílio, ficava horas vendo os filmes em que trabalhara. Evocar os tempos de glória lhe fazia mal, mas mesmo assim persistia nisso como um ritual depressivo. Após várias sessões, aceitou o óbvio: há um tempo para cada coisa, e o dela havia passado. Na sua idade, tornara-se um ícone e uma referência de certo tipo de cinema, mas já estava fora do mundo da produção e do estrelato. Se virmos as coisas dessa maneira, será mais saudável reconhecer os fatos, encarar a realidade – acabou! – e então vivenciar o luto. Assim que minha paciente conseguiu elaborar essas mudanças, começou a desfrutar a companhia dos filhos, dos netos e das pessoas que a rodeavam. Às vezes era reconhecida na rua e cumprimentada com respeito e admiração. Tinha 87 anos.

A ilusão de permanência ou impermanência (*anicca*, em páli[80]) talvez seja o principal fator que nos impede de "abdicar serenamente" dos apegos. Aceitar a impermanência nos permite dizer "acabou" sem tentar recuperar o irrecuperável. É preciso viver o "luto do prazer" quando ele se desvanece ou termina; é a sabedoria da extinção. Quantas vezes queremos trazer algo de volta em vão? Quantas vezes ficamos remoendo "o que poderia ter sido e não foi" em lugar de aceitar a perda? Não existe meio--termo para um desapego bem processado: é necessário deixá-lo ir, deixá-lo morrer. Muitos de nós gostaríamos de apertar a tecla "Desfazer" dos computadores para ter outra oportunidade.

O Sutra do Diamante nos ensina o seguinte conceito da ilusão da permanência:

> Assim devemos considerar tudo neste mundo efêmero:
> Uma estrela no amanhecer, uma bolha num riacho;
> Um relâmpago em uma nuvem de verão;
> Uma chama oscilante, uma sombra e um sonho.[81]

## A PRÁTICA DO DESAPEGO: COMO DERRUBAR A CRENÇA DE UM PRAZER ETERNO E INESGOTÁVEL

### 1. Constatar que nada é permanente

A impermanência dos budistas, dos filósofos e dos psicólogos sustenta que tudo está em constante transformação, embora nossos sentidos o percebam igual e imutável. A premissa é a seguinte: no fundo das coisas, a modificação nunca para. Você pode dizer que já sabia disso e que não é novidade. No entanto, será que essa concepção penetrou em seus sistemas mais profundos, como o fez, por exemplo, a lei da gravidade? Você não tenta caminhar no ar porque sabe que vai se esborrachar no chão (cada golpe que viveu na vida lhe ensinou isso). Não precisa de cursos especiais nem de explicações detalhadas, pois tudo já está incorporado ao seu banco de dados. Você já compreendeu, já sabe, faz parte de você, como respirar ou falar. Resumindo, a ideia é *automatizar o princípio de impermanência e torná-lo seu*, evitando qualquer ilusão de imobilização. Abra na mente uma pasta amarela com os dizeres "Nada é para sempre", mesmo que o mito resista. Faça uso dela.

Em nossa realidade mais próxima, podemos lidar com aspectos superficiais que são estáveis, mas, no fundo, na estrutura da matéria, a vida é um caldo quântico mutante e instável. Como já afirmei anteriormente, os budistas chamam de "ignorância" ou "engano" a incapacidade de compreender que tudo está em eterna mudança e que, portanto, a existência nunca será a mesma. Se você aplicar esse princípio ao seu cotidiano, dará início ao processo de desapego e deixará de andar às cegas.

> Dois eruditos ilustres e um mestre espiritual descansavam num lindo recanto, debaixo de uma árvore frondosa que proporcionava sombra e frescor. Os dois letrados começaram a discutir sobre a origem da criação e quanto tempo Deus teria levado para concluí-la. Um deles afirmava que ele havia demorado poucos dias, e o outro, que tinham sido vários anos; para um, a obra ficara mal-acabada, enquanto o outro sustentava que era perfeita. O mestre permanecia em silêncio, observando detalhadamente a paisagem e tudo o que ocorria ao seu redor. Ao vê-lo tão calado, perguntaram-lhe sua opinião. O mestre respondeu: "Estava apreciando o balanço das folhas das árvores, como é ágil aquele rato que corre pelo campo, o voo ritmado dos pássaros, as formigas que trabalham sem descanso nesse enorme formigueiro, aquelas flores... Estava apenas olhando...".
> Um dos homens lhe perguntou: "E o que isso tem a ver com o que estamos falando?". O mestre respondeu, após alguns minutos de silêncio: "A criação ainda não terminou, está sendo concluída neste instante...".[82]

## 2. Viajar sem sair do lugar

Uma coisa é certa: não importa o que você faça nem o empenho que ponha nisso, não poderá conter algo que está destinado a desaparecer. Então, para que se prender? É preciso se adaptar: se quer levar uma vida saudável, só há essa opção. Desfrute e aproveite o que quiser, mas sem se apegar. Deixou de ser amado? Curta o luto para sair logo da situação estressante. Você não é mais o melhor? Finalmente conseguirá dormir tranquilo! Não se acha mais bonito(a)? Vivam os feios! O orgasmo dura pouco? Aprenda a desfrutar a fantasia e o erotismo. Perdeu a aprovação social? Agora será menos narcisista. Antes você era quase um santo? Bem-vindo ao mundo dos normais! Cortaram sua linha de celular? Converse um pouco consigo mesmo para ver o que descobre. Caiu a rede da internet? Retorne à realidade, volte-se para dentro e observe o que sente. Perdeu a segurança e está ansioso? Relaxe e aceite o que vier. Basicamente, desapegar-se é ver as coisas como são e aceitá-las. A verdade é esta: tudo se transforma, e você também. Há duas opões: ou você resiste, ou viaja pelo universo e se diverte.

Alguém perguntou a um mestre budista o que significava a frase seguinte: "A pessoa que alcançou a iluminação viaja sem precisar se mover". O mestre respondeu: "Sente-se à janela todos os dias e observe como a paisagem do seu quintal muda constantemente à medida que a Terra realiza sua viagem anual ao redor do Sol".[83]

## 3. Sonhar não é delirar

Esperança versus miragens. Anseios ou alucinações? O realismo é a melhor opção: *encarar o que somos sem anestesia e cruamente nos torna mais humanos e competentes.* Só é possível resolver um problema ou enfrentá-lo se estivermos em contato direto com o que acontece de verdade, com aquilo que realmente "somos". O engano ou o autoengano não servem para nada: você precisa de informações autênticas para sobreviver. Contar mentiras a nós mesmos é uma das inúmeras formas de anulação usadas pelas mentes confusas e medrosas.

Havia um nômade que vivia em uma montanha com a esposa e a sogra. Seus pais haviam morrido. Certo dia, foi à cidade fazer compras. Parou numa loja em cuja vitrine havia, entre outras coisas, um espelho. Como nunca tinha visto um antes, olhou-o e viu o que lhe pareceu ser a imagem de seu pai, morto havia muito tempo. Entrou depressa na loja e o comprou, depois o escondeu na bolsa, pois achava que era um objeto mágico. Em casa, tirava o espelho toda noite da bolsa e olhava o que acreditava ser o rosto do pai. Sua mulher, ao vê-lo fazer isso, ficou curiosa para saber o que ele ocultava e, num dia em que o marido estava ausente, cuidando do rebanho, procurou na bolsa dele até achar o espelho. Ao olhá-lo, viu uma mulher bonita e gritou: "O sem-vergonha do meu marido tem uma amante!". Sua mãe disse: "Deixe-me ver. Tenho certeza de que a conheço". Pegou o espelho, olhou-o e exclamou: "Está louca? Mas é o retrato de uma bruxa velha! Você não tem nada a temer".[84]

Imagine o que quiser, brinque com suas fantasias, mas não as confunda com os fatos e as circunstâncias objetivas. Em psicologia cognitiva, a tendência de desvirtuar a informação chama-se "distorção cognitiva", um modo de alterar a realidade/verdade em benefício de nossas crenças.[85] No fundo, queremos ver o que nos convém e construir um mundo irreal que se adapte aos nossos conflitos e inseguranças em vez de resolvê-los. Muita gente hipersensível ou com baixa tolerância ao sofrimento se protege dessa forma. O que você prefere: assumir a verdade, mesmo que não seja maravilhosa, ou viver uma mentira criada por suas distorções?

Encarar a realidade sem analgésicos o fará descobrir se deve continuar a buscar algo que o interesse ou desistir de maneira pacífica. Perseguir o impossível é absurdo, e acreditar que tudo é possível é uma forma infantil de enfrentar a vida. Não é preciso se resignar com antecedência, basta não se enganar. Entregar as armas pode ser tão revigorante quanto ganhar a guerra, embora os amantes do êxito protestem. O realismo ajuda você a não se desgastar, a não dar murro em ponta de faca e a não se apegar. Podemos comparar o prazer às ondas do mar: elas chegam até nós, nos acariciam e depois são levadas pela maré para um novo encontro. É claro que podemos correr atrás delas, mas a onda se perderá na água que a envolve, e, se quisermos alcançá-la, acabaremos nos afogando. Ela não nos pertence, foi embora; aceitemos esse fato.

## 4. Erradicar o egocentrismo

Você não é tão importante para que o universo gire à sua volta. A realidade é totalmente inversa. O cosmos o abriga, por isso as coisas não devem ser como você gostaria; são como são. Isso implica se descentralizar, assumir que você é só mais um entre todos os outros e acabar com os surtos de egocentrismo que às vezes o atacam. Aceitar que o mundo não gira à sua volta é sinal de maturidade e capacidade de adaptação. Aprenda a perder quando as coisas escaparem ao seu controle.

Havia um homem que tinha muito orgulho da grama de seu jardim. Certo dia, percebeu que ele estava totalmente infestado por uma erva chamada "dente-de-leão". A planta se enredava entre as flores, era bastante agressiva e crescia sem parar. Ele tentou se livrar dela de todas as formas, mas não conseguiu impedir que se tornasse uma verdadeira praga. Desesperado, escreveu para o Ministério da Agricultura relatando todas as tentativas que fizera. Concluiu a carta com a pergunta: "O que devo fazer?". Logo veio a resposta: "Sugerimos ao senhor que aprenda a gostar do dente-de-leão".[86]

Todos nós adoramos pensar que nada é impossível, que não há limites e que o mundo não passa de uma fábula que cada um escreve à sua maneira. É lógico que a vida moderna contribui para isso, e talvez você prefira viver entre fadas, avatares e duendes a enfrentar seres humanos suados e depredadores. Mas pare um segundo e considere o seguinte: viver atrelado ao pensamento mágico pode impedi-lo de descobrir a verdadeira magia. Nenhuma fantasia supera a realidade, se você estiver disposto a observá-la deixando de lado sua capacidade de assombro. Não haverá duendes nem fadas, mas sim bosques imponentes e céus estrelados. Não é preciso recorrer ao ilusório para ter emoções fortes. Já viu um amanhecer nos Andes? O degelo na Antártida? Pescou ao pôr do sol? Já chegou perto de uma sequoia gigante? Andou nas areias de um deserto? Visitou os jardins da Babilônia? Tomou banho em uma cachoeira de água cristalina?

Esteve perto de um furacão alguma vez? Já observou os macacos catando piolhos? Banhou-se no rio Ganges? Garanto uma coisa: é muito mais saudável controlar a arrogância, deixar de girar em volta do Sol e de viver em mundos alheios. Só assim você poderá admirar as belezas do universo.

Como combater o egocentrismo? O segredo é descentralizar-se, recorrendo à compaixão e à humildade. O prazer acabou? Haverá outros! Aquela noite não foi como você esperava? Reavalie suas expectativas: talvez suas exigências estejam muito altas ou você simplesmente deva recorrer a outras fontes. Evite se queixar. Lamentar-se é pura perda de tempo! Quem sofre de "infantilismo cognitivo" se apega facilmente às coisas e distorce muito mais as informações do que as pessoas maduras e realistas. Portanto, sofre mais e se apega mais.

**5. *A vida prazerosa como fonte de bem-estar***
Sejam bem-vindos os prazeres que invadem nossos sentidos básicos: apreciar uma comida gostosa, fazer sexo, ouvir música, assistir a um filme... enfim, os prazeres mundanos, que os epicuristas da Antiguidade defendiam (hedonismo).[87]

Sem sentir esse tipo de prazer, chamado erroneamente de elementar, é difícil atingir um estado de bem-estar, o que leva as pessoas reprimidas e enrustidas a adoecer cada vez mais. É preciso satisfazer-se, mas procurando fugir aos apegos. Se você é adepto do "prazer pelo prazer", não poderá desfrutar uma vida hedonista. Não conseguirá usufruir nada, porque a mente estará mais preocupada com a perda do que com a satisfação. Se você entra no apego pela primeira porta, é muito mais difícil ter uma vida plena e feliz, pois a busca do prazer acabará sendo uma tortura.

Os hedonistas autênticos não aceitam o sofrimento de maneira alguma e combatem todo tipo de dependência, uma vez que ela lhes rouba a liberdade emocional. Quando eu era criança e comia algumas das especialidades italianas que minha mãe fazia, sempre ficava um pouco triste à mesa. Esse desânimo resultava de uma preocupação básica e contraditória: será que depois que me saciasse não teria mais vontade de comer? Sofria antecipadamente ao pensar que em algum momento teria de parar de saborear os nhoques ou as lasanhas! A vida ficava cruel diante dessa perspectiva culinária. Meu apego à cozinha italiana me impedia de desfrutar livremente o que comia porque, no fundo do coração, eu queria congelar o tempo para que o prazer não terminasse nunca. Eu era, sem dúvida, um mau hedonista.

*Com toda a certeza, você só encontrará uma mão que o ajude no extremo de seu próprio braço.*

NAPOLEÃO BONAPARTE

# LIÇÃO 9
## BUSCAR PROVAS DE SEGURANÇA EM VEZ DE RESOLVER OS CONFLITOS PESSOAIS (SEGUNDA PORTA)

### A BALSA QUE CARREGAMOS NAS COSTAS

Se uma pessoa acha que não é capaz de ser bem-sucedida em seus objetivos ou fica bloqueada em situações vitais, torna-se insegura. Quanto maior for sua insegurança, mais propensa estará a procurar ajuda externa e a se apegar a ela. É lógico que, em determinadas circunstâncias, podemos depender de alguém para sobreviver: o piloto do avião em que embarcamos, o médico, a pessoa que faz nossa comida, o bombeiro em um incêndio; ou seja, são dependências racionais que nos permitem subsistir no mundo e das quais não podemos prescindir.

O problema surge quando nos apegamos a uma fonte de segurança fictícia para suprir incapacidades que poderíamos vencer se tivéssemos mais confiança em nós mesmos ou se tentássemos desenvolver certas habilidades ou competências. Essas "estratégias compensatórias" (muletas psicológicas) geralmente nos tiram de apuros, mas não ajudam a solucionar os problemas de fundo.[88] Simplesmente nos apegamos a elas e as endeusamos. Uma parábola de Buda ilustra o que afirmei:

Um viajante parou à beira de um rio enorme. O lado em que ele estava era perigoso, havia animais selvagens e a água era bem agitada, ao passo que na outra extremidade o rio brilhava serenamente. Como não existia nenhuma ponte para atravessá-lo e ele não sabia nadar, decidiu fazer uma balsa. Juntou galhos de árvore, plantas, folhas e construiu-a. Depois de pronta, ele navegou satisfeito até a margem segura e pensou: "Esta balsa me foi de grande ajuda, pois consegui escapar da zona perigosa e chegar aqui são e salvo; por isso, vou levá-la comigo para onde for". E se afastou com a balsa nas costas.[89]

Quantos de nós agimos assim? Apegamo-nos à balsa que um dia nos foi útil e a carregamos por via das dúvidas, pensando: "Ninguém está livre de uma eventual inundação". Contudo, uma coisa é ser previdente e outra é ser dependente. Na vida, incorporamos à mente uma infinidade de coisas inúteis para enfrentar situações imponderáveis que nunca chegam. Armazenamos coisas que supostamente sanaram nossas incompetências em vez de resolvê-las. A solução é aprender a nadar e tirar o salva-vidas que ainda usamos.

### O PERFECCIONISMO COMO SINAL DE SEGURANÇA

Marcela tinha 22 anos quando procurou ajuda profissional. Sentia-se muito estressada e cansada. Submetera-se a um ritmo de estudo bastante cansativo na universidade e agora sofria as consequências. Além disso, seus excelentes resultados eram elogiados pelos pais e professores, que a tomavam como exemplo de responsabilidade e dedicação. Ela levara muito a sério esse papel e fazia o impossível para mantê-lo: não admitia cometer erros, revisava exaustivamente seus trabalhos na aula e só os entregava quando estava "totalmente segura" de que não continham nenhuma incorreção. Ao analisar sua história pessoal, percebi dois fatos importantes. Quando tinha sete anos, ela foi diagnosticada com dislexia, o que a fez repetir um ano escolar e ter os mais variados problemas no colégio. A segunda questão dizia respeito a sua irmã mais nova, uma menina brilhante, que se destacava em tudo o que fazia e com quem competira a vida inteira. Ambos os fatores (o déficit de aprendizagem e a comparação com a irmã) a levaram a elaborar dois conceitos de si mesma, claramente autodestrutivos: "Sou pouco inteligente" e "Se eu quiser conseguir algo na vida, terei de me dedicar muito mais que as outras pessoas, por causa do meu déficit de inteligência". Cresceu com essas ideias na cabeça, tentando se destacar em suas atividades e se esforçando bem mais do que deveria. O perfeccionismo que seus conhecidos tanto elogiavam não passava de um escudo de proteção e de uma maneira de "corrigir" o suposto déficit de sua capacidade intelectual (a balsa a que Buda se referia). Esse era seu grande segredo. Quando lhe sugeri que se submetesse a um teste de inteligência, a princípio entrou em pânico e se negou, mas depois aceitou a contragosto. No dia em que lhe entreguei os resultados da avaliação, ela me disse: "Vamos lá, quero saber qual é meu grau de retardamento". Respondi que os dados revelavam outra coisa: seu quociente de inteligência era 70 em todas as áreas, o que indicava que ela era mais inteligente do que 70 por cento da população. Embora não fosse um gênio, era uma jovem muito capaz.

Esse resultado, ao lado de outros dados, mostrou a ela uma contradição curiosa: o perfeccionismo exagerado, que desenvolvera justamente para superar sua hipotética incompetência, era a causa de seu mal-estar. A emenda saíra pior que o soneto, e, como acontece nesses casos, o medo do fracasso gerou mais efeitos negativos do que o próprio fracasso. Finalmente, à medida que ela foi ganhando confiança em suas habilidades, o perfeccionismo irracional perdeu a funcionalidade e deixou de ser útil, simplesmente desapareceu ("assim como um pedaço de madeira podre se desprende de um barco abandonado", parafraseando alguns mestres budistas). Às vezes era aprovada nos exames, outras reprovada, como a maioria dos estudantes, sem grandes problemas. Os professores observaram nela um retrocesso, e eu, uma melhora. Formou-se em engenharia, sem brilho, mas em paz, e parou de se comparar e competir com a irmã. Rompeu a dependência quando chegou a uma profunda e reveladora convicção: "Eu me basto a mim mesma".

## A dependência das câmaras de bronzeamento

Um homem de quarenta anos foi ao meu consultório porque sua mulher sentia vergonha de estar com ele, cuja pele tinha um bronzeado exagerado. O homem me contou o seguinte: "Minha mulher diz que não assumo minha cor natural, mas eu me sinto muito bem assim. Resolvi procurá-lo para evitar problemas". Todos os dias, fazia cinco anos, ele entrava numa câmara de bronzeamento para adquirir ou manter o tom desejado.[90] Embora tivesse boa aparência, a cor de sua pele parecia artificial, e, se alguém fazia algum comentário sobre isso, ele argumentava que seu aspecto "dourado" o fazia destacar-se como uma celebridade. A questão se agravava quando o casal ia viajar, porque o homem só aceitava ir a lugares onde houvesse câmaras de bronzeamento. Além disso, andava com potes de creme para conservar o "tom adequado" e tentara até alterar a pigmentação da pele com a ajuda de um cirurgião e de um dermatologista, sem nenhum sucesso. À luz do dia, ele se olhava várias vezes em um espelhinho de aumento para verificar como estava a coloração. Enfim, seu apego à cor da pele era evidente.

De onde vinha essa preocupação? Após uma análise detalhada, descobri que, na infância, seus colegas zombavam dele porque sua pele era extremamente branca. O fato que mais o marcou foi um episódio ocorrido na adolescência, quando ele se declarou a uma mulher e ela lhe respondeu literalmente (ele ainda guardava em seu antigo diário as palavras que ela usara): "Eu jamais sairia com alguém tão 'leitoso'". A partir desse dia, desenvolveu uma síndrome semelhante à de Michael Jackson e, assim como o cantor, repudiou seu fenótipo. Com o tempo, sua pele adquiriu uma cor de cenoura que chamava a atenção de todos. Como se não bastasse, o processo de bronzeamento artificial vinha lhe causando lesões na pele, o que preocupava os médicos e a família. O raciocínio de meu paciente era o seguinte: "Não gosto de mim com essa pele branca demais, por isso vou 'maquiar/dissimular' esse defeito com o bronzeado". Bronzear-se equivalia à balsa de Buda, pois lhe permitia sobreviver a uma aparência física que detestava. Depois de vários meses de terapia, ele percebeu uma coisa surpreendente: ninguém se importava com sua cor branquela! Ao incorporar esse fato, ele se animou a mudar. Aos poucos, o bronzeamento perdeu a utilidade e os cremes foram para o lixo.

## O MITO DA SEGURANÇA PSICOLÓGICA

Não existe segurança psicológica total. Nada neste mundo pode lhe garantir que ninguém nunca vai magoá-lo. Se você é daqueles que gostam de manter tudo sob controle, sinto muito, mas está perdendo tempo. Além do mais, considerando os riscos potenciais e as possibilidades em contrário, estar livre de patologias e doenças graves já é um milagre. O sonho de todo dependente que quer compensar suas deficiências é estar rodeado de guarda-costas afetivos e psicológicos que o protejam de qualquer sofrimento ou incômodo (se pudesse voltar ao líquido amniótico, não pensaria duas vezes). Ele é movido pelo seguinte pensamento: "Como não sou capaz de cuidar de mim mesmo, preciso de alguém que me adote ou me ajude".

Você ficaria admirado com o que é capaz de fazer em situações-limite. Os seres humanos foram feitos para resistir, e a evolução tem nos preparado para lutar pela sobrevivência. Viver não é estar numa bolha que lhe tira a mobilidade e a capacidade de exploração. A busca de segurança a qualquer preço o torna lento e pesado, e você será cada dia mais inútil e vulnerável, exatamente o que queria evitar quando recorreu aos seus "salvadores".

> Um molusco tinha muito orgulho de sua carapaça e vivia se vangloriando dela. Um dia, disse a um peixe: "Minha concha é um castelo bem fortificado. Quando a fecho, ninguém pode me fazer mal, no máximo me apontar com o dedo. É impenetrável, por isso vivo tranquilo e seguro". Então, enquanto falava, sentiu um respingo. O peixe fugiu imediatamente, e o outro se enfiou na carapaça. Passou-se um bom tempo até que o molusco começou a se perguntar o que havia acontecido. Como tudo parecia muito tranquilo, abriu suas valvas para verificar e notou que não estava em seu meio habitual. De fato, encontrava-se ao lado de centenas de outros animais semelhantes a ele em uma barraca de mercado, debaixo de uma placa onde se lia: "R$ 10,00 o quilo".[91]

Alan Watts cita uma frase do mestre Dogen Zenji que reforça o texto acima:

> Se houvesse um pássaro que quisesse observar primeiro o tamanho do céu ou um peixe que quisesse avaliar primeiro a extensão da água antes de voar ou nadar, nunca conseguiria se movimentar no ar ou na água.[92]

## A PRÁTICA DO DESAPEGO: COMO EVITAR QUE OS SENTIMENTOS DE INSEGURANÇA NOS CONDUZAM AO APEGO

### 1. *Eliminar as deficiências*

Aprender a superar as inseguranças é fundamental para evitar cair no apego. Se você não sabe dirigir, dependerá de um motorista ou terá de compensar sua "deficiência" usando outro meio de transporte; mas, se aprender a guiar, será capaz de se virar sozinho. Não sabe nadar? Precisa de um salva-vidas. Não sabe andar? Precisa de um andador. Não sabe se defender? Precisa de um guarda-costas. Não sabe falar em público? Necessita de alguém que o faça por você. E não me refiro a incapacidades inevitáveis e objetivas, como ter uma limitação insuperável, mas sim a dificuldades psicológicas que podem ser vencidas e partem de uma autopercepção deturpada.

Lembro-me de dois amigos, um tímido com as mulheres e o outro extrovertido e conquistador por natureza. O primeiro foi criando uma dependência cada vez maior do segundo, a ponto de não sair se o outro não saía. Certo dia, numa consulta, ele me disse: "É meu amigo que me arruma encontros com mulheres, porque sou muito inseguro com elas, então dependo dele". Porém, a dependência se generalizou, e meu paciente acabou se transformando numa espécie de "escravo amistoso": fazia compras para o amigo, cuidava da casa, resolvia assuntos burocráticos e muitas coisas mais. Passou de amigo a empregado, de companheiro a servidor, e tudo por receio de perder a "vantagem" de não ter de enfrentar a rejeição feminina. Esse era o truque implícito. Em qualquer relacionamento em que prevaleça a dependência e a necessidade de compensação, o vínculo pode se desvirtuar ao máximo. Por fim, ele aceitou um tratamento em habilidades heterossociais para facilitar sua aproximação do sexo oposto e conseguiu se libertar da relação doentia com o "amigo". Quando você se livra de uma deficiência, quase sempre elimina um ou vários apegos que lhe serviam de escudo. Essa é a regra, essa é a lei dos que entram na dependência pela segunda porta e conseguem sair.

## 2. Caminhar no vazio

É a sensação que temos quando decidimos largar a bengala pela primeira vez e andar sozinhos na vida. Talvez você caia uma ou duas vezes, mas, mais cedo ou mais tarde, conseguirá ficar em pé. Tive uma paciente que sofreu uma vertigem e, a partir desse dia, embora tenha se curado do mal físico, passou a sentir medo de perder o equilíbrio ao andar sozinha. Tocar um objeto fixo e sólido enquanto caminhava ou simplesmente se apoiar na parede lhe dava suporte. Uma das estratégias do tratamento terapêutico foi levá-la (logicamente, com seu consentimento) a um parque aberto e deixá-la ali, no meio de um campo enorme, sem nada por perto. A primeira coisa que ela fez foi sentar-se, pois a terra era um lugar seguro. Ao perceber que tinha de se locomover sem ajuda, tentou rastejar, mas não foi capaz. Então, não teve outro jeito senão se levantar e caminhar sem nenhum ponto de referência além do equilíbrio natural do próprio corpo, embora fosse tropeçando. Depois de várias tentativas, ela conseguiu se movimentar sem apoio. Hoje em dia, costuma caminhar rápido todos os dias.

Para eliminar o apego, é preciso cultivar um controle interno naquilo que é fundamental: "Eu dependo de mim" (um ato de autonomia e dignidade). "Caminhar no vazio" é andar sozinho de propósito, até ser capaz de se locomover sem muleta alguma. A fórmula é simples: seja responsável por você e cuide-se.

### 3. O poder libertador do tédio

O caminho para o desapego nem sempre surge da tomada de consciência e da iluminação; muitas vezes, existe uma saída mais simples, menos transcendente e talvez mais biológica: *o tédio ou o cansaço e a saturação de ter de carregar o peso do apego*, porque, embora os apegos nos prendam, somos nós que os suportamos. Chegar ao limite pode ser tão libertador como alcançar o céu. Podemos nos entediar com qualquer coisa que roube o sentido da nossa vida, que nos obrigue a um comportamento de que não gostamos ou que vá contra nossos princípios. Ficamos incomodados, com vontade de mudar, e esse fastio é positivo, pois nos leva a agir em benefício próprio e sair da mesmice. É ânsia de liberdade, tranquilidade e paz. Santo tédio! As palavras seguintes são atribuídas a Buda:

> O iluminado está cansado do material, das sensações, das percepções, das armadilhas da mente e da consciência. Com o tédio, perde o apego a tudo isso. Graças a esse distanciamento, ele se liberta. E, ao se libertar, descobre o seguinte: "Já esgotei meus nascimentos, cumpri minha vida

ascética, realizei minha tarefa e não voltarei mais aqui para baixo".[93]

O mantra cognitivo do tédio libertador é "Cansei de depender, de buscar segurança em toda parte, de me humilhar por medo, de me esquivar de perigos que não existem, de me sentir incapaz de enfrentar a vida sozinho! Não quero mais depender dos mais fortes, preciso confiar em mim mesmo!". Você nunca se sentiu maltratado por alguém? O apego enjoa. Um belo dia, você se olha no espelho e não gosta do que vê. Não me refiro ao corpo, é pior do que isso. O que o desagrada é o que você enxerga em seu interior. Sente-se diminuído, rastejante, suplicante, com uma fraqueza assustadora. Então, sem nenhum tipo de transcendência ou iluminação, você diz: "Chega!". É um cansaço existencial. Quando fica farto do apego, você começa a agir. Pense nos cachorros que vivem presos e só se locomovem no espaço de três ou quatro metros à sua volta, farejando, andando de lá para cá o tempo todo e sentindo-se donos de seu mundo minúsculo. A falsa segurança é um aborrecimento! Repito: é melhor viver sem guardiães, sem amuletos, ser o dono de seu destino e, principalmente, traçá-lo e vivê-lo conforme lhe der na telha.

### 4. A vida gratificante como fonte de bem-estar
Para viver bem, é preciso desenvolver a força moral.[94] Quando isso acontece, ficamos satisfeitos porque podemos aprimorar nossas qualidades e virtudes, nosso verdadeiro potencial. Na verdade, isso é tudo o que desejamos: pôr em prática as inúmeras competências e virtudes que possuímos. A vida gratificante não é tão efêmera quanto a vida prazerosa básica, já que toca seu lado mais íntimo e a parte genuína de seu ser.[95]

Aristóteles chamou de *eudemonismo* esse tipo de "felicidade" que se baseia no aprimoramento das virtudes pessoais. Se você é bom no esporte, deve ser esportista. Se tem dom para as artes, seja artista. Se gosta de construir, procure ser engenheiro ou arquiteto. Quando sua vida gira em torno de sua capacidade mais autêntica, você se sente ótimo e muito próximo de um bem-estar pleno. As coisas fluem mais e melhor, tudo é simples, tudo é maravilhoso.

O problema é que você só poderá ter acesso a essa capacidade se for destemido e ousado. Enquanto depender de algo ou alguém que o proteja, não conseguirá levar uma vida gratificante. Como se realizar e pôr em prática seus objetivos vivendo à sombra de outro? Se você entrar no apego pela segunda porta, a insegurança e o medo de "não ser capaz" o tornarão cada dia mais infeliz. Se não encarar suas deficiências, sem tentar "dissimulá-las" ou compensá-las, nunca poderá aprimorar sua verdadeira força interior. É, de fato, um paradoxo: *ao cultivar a dependência do que considera forte e seguro, a pessoa se torna fraca e insegura.*

> Em nossos loucos intentos, renunciamos ao
> que somos pelo que esperamos ser.
>
> WILLIAM SHAKESPEARE

# LIÇÃO 10
# A COMPULSÃO POR "QUERER SER MAIS" (TERCEIRA PORTA)

## O CÍRCULO VICIOSO DA AMBIÇÃO

Ninguém nos ensina a perder, a alterar o curso no caminho ou simplesmente a desistir com brio de nossos objetivos quando não há mais o que fazer. A cada fracasso, agimos como se o mundo fosse acabar. Embora todos saibam a diferença entre "ser corajoso" e "ser imprudente" (incapaz de avaliar os riscos), a sociedade enaltece a ideia irracional de que nunca devemos desistir de nada, em qualquer circunstância; é preferível ser um suicida teimoso a ser um bom perdedor.

A armadilha da "ambição desmedida" existe em toda parte e é promovida com uma ordem que nos inculcam desde crianças: é preciso ter sucesso a qualquer custo, mesmo que fracassemos na tentativa. O que não nos informam é que, mais cedo ou mais tarde, a obsessão pelo progresso pessoal acabará voltando como um bumerangue e afetará a saúde mental.[96] Segundo os budistas, aqueles que caem na "compulsão por querer ser e ter cada vez mais"[97] transformam o desejo natural de superação pessoal em uma forma de tortura. Não importa qual seja seu objetivo, financeiro, espiritual, acadêmico ou estético: *se você confundir o progresso natural com a pressão ou a obrigação gerada pelo apego, a satisfação se converterá em exigência.*

Um agricultor obcecado por ter mais terras conversava com um amigo:
– Eu gostaria de adquirir mais terras.
– Para quê? As suas já não são suficientes?
– Se eu tivesse mais, poderia ter mais vacas.
– E o que faria com elas?
– Venderia e ganharia mais dinheiro.
– Para quê?
– Para comprar mais terras e criar mais vacas...[98]

O desejo como "potência" (ajustado, a serviço do bem-estar, e não como carência) é um fator construtivo que garante o desenvolvimento do potencial humano. Mas, quando esse desejo nos ultrapassa e escapa ao nosso controle, perdemos o rumo e retrocedemos. É a tautologia do desejo insano e insaciável que se fecha sobre si mesmo e se transforma em dor autoinfligida.

### A ÂNSIA POR SER O MELHOR

O que caracteriza o apego não é sonhar que batemos um recorde, recebemos uma medalha de ouro na Olimpíada ou o Prêmio Nobel, mas sim o fato de nos fundirmos com o prêmio e acreditarmos que somos parte dele. Encará-lo como imprescindível e sermos incapazes de renunciar, se for preciso. Acreditamos que o sucesso nos deixará felizes e que as realizações pessoais nos promovem bem-estar mental e físico; no entanto, essa associação é questionada nos casos chamados de personalidade tipo A.[99] As pessoas com essa personalidade são extremamente competitivas, têm grande necessidade de controle, são muito ambiciosas, obcecadas por trabalho e pelo poder. Também costumam ser muito estressadas e propensas a diversas doenças físicas (como enfermidades neurocardiovasculares) e mentais (a exemplo de ansiedade generalizada). A ânsia por se destacar as torna mais dependentes dos triunfos que da saúde e, em consequência, elas não prestam atenção nos sinais de alerta do corpo. Em geral, lidam com grandes projetos e são pessoas muito valorizadas socialmente. As personalidades do tipo A (algumas são "triplo A") são uma ameaça para si mesmas e para os que estão à sua volta, pois seu estresse é contagioso. Se você já teve um chefe, um parceiro(a) ou pais com essas características, sabe do que estou falando.

O que você prefere: ser o melhor ou viver bem? Embora às vezes seja possível conquistar as duas coisas, poucos conseguem. A "autorrealização a todo custo" comumente está em desacordo com uma boa qualidade de vida. E não me refiro apenas ao desejo incontrolável de obter bens materiais, posição ou poder, mas também às pessoas que, na busca por objetivos aparentemente louváveis, acabam sendo traídas pelo ego no meio do caminho; aquelas que, por quererem o impossível, não desfrutam o possível. Não digo que não devamos ir atrás de um aprimoramento contínuo, mas algumas formas de crescimento se desvirtuam na ânsia de buscar o extraordinário.

Numa cidade da Índia, perto de um rio, vivia um asceta que se gabava de conseguir andar sobre a água. Uma vez ou outra, para se mostrar, cruzava o rio caminhando, deixando todos boquiabertos. Certo dia, chegou ao local um monge famoso por sua grande sabedoria e caráter espiritual. Ao saber disso, o asceta foi correndo procurá-lo e disse: "Mestre, durante anos me exercitei espiritualmente em busca da iluminação. Depois de me submeter a jejuns, penitências e mortificações, consegui caminhar sobre as águas". O monge pensou um pouco e afirmou: "Que perda de tempo! Por acaso não sabia que existem barcos?".[100]

Quanto tempo perdemos tentando ser competentes em coisas inúteis e sem sentido, só para nos promover! Os apegos sempre estão a serviço do inútil, do absurdo ou do perigoso; portanto, não desperdice seu tempo.

## O CRESCIMENTO PESSOAL COMO DESENVOLVIMENTO SUSTENTÁVEL

O desenvolvimento pessoal deve ser sustentável, ou seja, não esgotar todos os recursos disponíveis. A distância entre o que se tem (nos âmbitos financeiro, afetivo, psicológico e espiritual) e o que se deseja define o grau de insatisfação ou mal-estar: se você ansiar por muito mais do que tem, viverá infeliz. Crescer com sustentabilidade é avançar de acordo com nossas possibilidades reais e concretas, sem pressionar irracionalmente o organismo ou criar falsas expectativas.[101] Uma paciente muito religiosa me disse certa vez: "Eu queria ser melhor, me esforçar e me doar mais, mas não consigo". Ao que respondi: "Bom, esse é o seu limite. Dentro de suas possibilidades, semeie onde puder. Você comentou que frequenta um grupo de orações, que cumpre os mandamentos de sua religião e ajuda os outros quando pode; isso lhe parece pouco? Além disso, tem outras virtudes. No entanto, está insatisfeita porque quer mais. Posso lhe garantir que não crescerão asas em suas costas. Aceite-se da maneira que é e vá melhorando aos poucos, com tranquilidade. Deus não quer que você seja perfeita". Com o tempo, ela conseguiu reduzir sua "ansiedade por ser boa" e compreendeu que para "ser melhor" não é necessário se afligir e exigir demais de si mesma. O autoflagelo por amor a Deus só existe na mente de alguns fanáticos apegados ao passado.

## O EXCESSO COMPORTAMENTAL NUNCA É SAUDÁVEL

Talvez você pense: "Se existe paixão, não há limites" ou "Se existe paixão, tudo é possível". Lamento decepcioná-lo, mas, se sua paixão está fora de controle (paixão obsessiva), você não é responsável por seu comportamento, e isso o transformará numa bomba-relógio. Os excessos comportamentais, cognitivos ou emocionais causam estresse e mal-estar, embora sejam movidos pelas melhores intenções (lembre-se do apego à espiritualidade que analisamos antes).

Vejamos dois casos de apego considerados "bons":

- O comportamento altruísta (pró-social) é visto como uma virtude respeitada e promovida por todas as culturas, mas ninguém nos alerta sobre os riscos de nos excedermos e irmos além de nossas forças. Ninguém nega a importância da empatia e da solidariedade; o problema é que, em determinadas circunstâncias, ajudar de maneira sustentável uma ou várias pessoas pode causar estresse, depressão e/ou fadiga crônica. O ato de ajudar sem medir as consequências, sem levar em conta sua real capacidade de aguentar, gera um transtorno conhecido como *burnout*.[102] Muita gente se "consome", se "esgota", se "bloqueia" ou se "afunda", perde gradualmente a empolgação inicial e começa a ficar tensa ou deprimida. Isso explica por que certas áreas profissionais são mais suscetíveis ao *burnout*, como medicina, enfermaria, psicologia e assistência social, entre outras. Não digo que não se deva ajudar quem precisa, mas a "obsessão por auxiliar os outros a qualquer custo" (apego), sem uma avaliação objetiva da nossa verdadeira capacidade física e psicológica, pode nos levar a extrapolar limites. A conclusão é uma só: não importa quão nobre seja seu objetivo, o apego causa mal-estar.

- Não há dúvida de que ser otimista é melhor do que ser pessimista; contudo, sempre há exceções à regra: *se o otimismo é rígido e desproporcional, deixa de ser funcional.*[103] É preferível uma atitude realista e adequada às circunstâncias a um otimismo alheio à realidade e sem fundamento. Ao nascer, uma de minhas filhas teve um problema de bilirrubina, um pigmento biliar que surge, entre outros motivos, pela incompatibilidade de grupos sanguíneos. Isso exige um tratamento rápido de fototerapia e/ou transfusão de sangue, pois a bilirrubina pode se instalar em certas regiões do cérebro e provocar retardamento mental, entre outros distúrbios. Era uma questão muito séria. Como o exame revelara uma taxa extremamente alta do pigmento e a menina estava amarela, o pediatra resolveu começar imediatamente o tratamento. Quando mostrei os resultados do laboratório a uma amiga "ultraotimista", ela tentou me acalmar ao ver minha preocupação: "Fique tranquilo", disse, "devem ter se enganado no resultado". Se eu tivesse me deixado levar pela opinião dela, minha filha não teria sobrevivido.

Buda disse algo muito simples e ao mesmo tempo sublime: "Venha e olhe". Ele não disse: "Venha e especule, envolva-se com teorias e abstrações ou ilusões fora de contexto". A sugestão foi clara: olhe sem distorções. A psicologia cognitiva propõe uma coisa semelhante: *aceite-se da maneira que é; seja um observador imparcial de seu entorno, de tudo o que lhe acontece, e então aja.* Como afirmei anteriormente: uma coisa é sonhar, e outra, bem diferente, é delirar.

### A prática do desapego: como vencer a compulsão por "querer ser mais"

*1. Um antídoto: os ensinamentos do mestre Eckhart*
O mestre Eckhart, um dominicano alemão do século XIII, reconhecido como um dos maiores místicos de todos os tempos, em um sermão sobre a pobreza afirmou que, para encontrar Deus, o homem santo ou sábio precisa *não querer nada, não saber nada e não ter nada*.[104] Ele não disse em sentido literal, mas se referia à austeridade de espírito, que enriquece a alma. Se não tivermos nada a que nos apegar, seremos mais livres para ir aonde quisermos.

- *Não querer nada.* Significa desejar o menos possível, tal como reza o budismo: não ser escravo do apego nem ansiar nada de forma descontrolada, nem objeto, nem pessoa, nem santidade. Para nos livrarmos das dependências, duas condições são necessárias: *querer o que somos* e *ser o que queremos*. Quanto menos coisas você tiver que sejam imprescindíveis, mais perto estará da felicidade e da vida plena.
- *Não saber nada.* A ideia é não se apegar ao conhecimento ou não confundir o próprio ser com o saber. Esse conceito também coincide com o das filosofias orientais: "Esvaziar-se do próprio saber é deixar que o universo aja por meio

de alguém". Não é ignorância, mas sim humildade cognitiva. A morte do ego sabichão lhe permitirá amar e conhecer sem se apegar a nenhuma dessas coisas.
- *Não ter nada.* No sentido de não possuir (novamente a ideia remete ao budismo), como explicamos na lição 6. A sugestão é se despojar de todas as coisas que você "acredita possuir" e também das obras e trabalhos intelectuais ou materiais dos quais se vangloria. Ponha de lado tudo o que o aprisione, dizia Eckhart, inclusive Deus, porque, se quiser encontrá-lo, terá de se despojar até mesmo dele. Não desejá-lo, não se apegar a ele.

Dois textos orientais antigos defendem as três premissas anteriores.

a. O *Bhagavad Gita*, em sua sabedoria, sugere que não nos apeguemos a nenhum êxito:

Aquele que tem fé e renuncia ao resultado de suas obras encontra a paz... O que perde essa fé levado pelos impulsos e pelos desejos se apega aos frutos da ação e fica acorrentado.[105]

b. O *Tao*, no versículo 44, propõe a mesma coisa:

O que é mais importante para você, sua vida ou seu bom nome?
O que proporciona mais à sua vida, sua pessoa ou suas posses?
A ambição exagerada conduz forçosamente à eterna ruína.[106]

Não subestime os três mandamentos de Eckhart. Quando as coisas fugirem ao seu controle, seus esforços não surtirem o resultado que deseja e a depressão surgir, as três assertivas serão de grande ajuda.

**2. Deixe para lá**

Talvez seja difícil para você aceitar que as coisas às vezes fogem ao seu controle, mas isso é inevitável. A mente não quer distinguir quando algo depende dela ou não: ela quer tudo. A ânsia e a avidez por "querer ser mais" inibem a capacidade de saber até onde vale a pena perseguir um ideal e quando devemos desistir dele. Conheci um homem muito bem-sucedido profissionalmente que sofria porque queria ser o melhor e não conseguia. Havia duas pessoas acima dele, conforme diziam as revistas especializadas. A dependência de se manter no "top dos tops" o deixava angustiado e o impedia de desfrutar a vida: sentia um vazio na alma que nada podia preencher. Certa vez, perguntei a ele se tinha alguma possibilidade de superar seus dois "adversários", e ele respondeu: "Não, nenhuma, absolutamente nenhuma…" Sua frustração era inconsolável, e seu ego se roía de inveja e criava todo tipo de estratagema, como pedir a Deus que ambos morressem e deixassem o caminho livre para ele.

"Deixar para lá" significa: *não me interessa mais*. É como dizer: "Esta luta não é minha, abro mão do prêmio e do reconhecimento, ou do que quer que seja. Não é mais tão importante conseguir você, não quero mais, perdi o interesse…". Qual é o resultado? Você vai nascer de novo. Meu paciente, para sua infelicidade, não conseguiu, e seus competidores continuam vivos. "Deixar para lá" é a indiferença criativa, tão radical e maravilhosa como um bálsamo. Se você me faz mal, me tira a tranquilidade e a saúde, me impede de crescer como pessoa, adeus: não o desejo mais, não o cobiço, nem sequer sonho mais com você.

### 3. A vocação não precisa de obsessão
Quando temos vocação para alguma coisa, fazemos sem esperar retorno, porque nos entusiasma. A vocação nos leva harmoniosamente pelo caminho certo. É uma paixão saudável, que nos absorve e nos diverte. Não nos preocupamos com o objetivo a ser alcançado, já estamos nele e envolvidos até o pescoço com o presente. Conforme já afirmei anteriormente, é um processo em estado puro, e sentimos prazer em concluí-lo. O apego cria estresse, ao passo que seguir a vocação produz alegria e tranquilidade.

Você não tem que "se tornar"; está sendo a cada momento. Uma das frases que mais gosto de ouvir é: "Eu nasci para isto". Quando uma pessoa diz isso de coração, é porque acertou no alvo e encontrou a si mesma. O aprimoramento da vocação essencial nos dá imunidade ao apego, e a "ambição de ser mais" deixa de ter sentido. A resposta é: *Já sou o que quero ser.*

### 4. A vida significativa como fonte de bem-estar
Se você entrou no apego pela terceira porta e está obcecado por seus projetos pessoais, sejam eles quais forem, não terá olhos para mais nada e se descuidará do mundo que o rodeia. Dê significado à sua vida, fazendo com que sua força interior e suas virtudes transcendam seu próprio ser e incluam o próximo (espiritualidade e compaixão), e assim sua visão de mundo mudará radicalmente. A vida com significado é mais sensível, afasta-o da compulsão pelo "mais" e o aproxima da possibilidade de estar em paz consigo e com o universo que o abriga (plenitude e simplicidade).[107] Se assumir seus talentos naturais sem buscar a fama,

as pessoas se aproximarão de você, pois estará em consonância com seu ser autêntico. Esse processo funciona como um ímã biológico: todos nós sentimos atração por pessoas coerentes e verdadeiras.

Krishnamurti afirmava que não existem caminhos para alcançar a verdade. Com o bem-estar/felicidade, acontece uma coisa semelhante: não temos de chegar lá em cima, mas ir para dentro. Em momentos de felicidade intensa, quando você se sente realizado, nem que seja apenas por um segundo, existe uma conformidade que não se perde em metas impossíveis nem em receitas: não há futuro que o distraia nem passado que o paralise. No diálogo a seguir, entre um monge principiante e outro veterano, percebemos que talvez já estejamos no lugar aonde sonhamos ir:

– Por que foi procurar o mestre?
– Porque minha vida não estava indo para lugar algum nem me dando nada.
– E agora, para onde vai sua vida?
– Para lugar algum.
– E o que ela lhe dá agora?
– Nada.
– Então, qual é a diferença?
– Agora não vou a parte alguma porque não há para onde ir; e continuo não obtendo nada porque não há nada para desejar.

*Menor do que a menor coisa, maior do que qualquer coisa é o espírito situado no mais profundo do homem.*

KATHA UPANISHAD

# Epílogo

## Pequenas lições para grandes dependências

Para se desapegar, não é preciso fazer uma revolução, ir para uma caverna no Tibete ou abraçar uma nova religião. Bastam três coisas: vontade, tédio e realismo. O trabalho é mental e pessoal: consiste em assumir seriamente esse propósito, sem subterfúgios nem autoenganos, deixando claro que não existem dependências inofensivas nem pequenos inimigos. Se você quer parar de sofrer por apego, deve estar disposto a ir até as últimas consequências, mudar os esquemas que o prendem ou simplesmente acabar com eles, mesmo que doa e seja difícil. Podemos dizer que o desapego é uma forma de *trash out*: tirar o lixo que armazenamos na mente durante a vida e nos reinventarmos; afinal, há tanta informação que não serve mais ou só atrapalha!

As lições apresentadas aqui não são definitivas nem suficientes. Elas vão ajudá-lo a compreender como os apegos agem e a enfrentá-los, mas não fazem milagres. Podemos dizer que funcionam como antibióticos: uma dose só não produz mudanças substanciais, mas várias, somadas, aumentam seu poder de eliminar o apego.

Expus 38 estratégias e espaços de reflexão para você começar a cultivar o desapego em níveis cognitivo, emocional e comportamental. Se quiser ver mudanças significativas, não se contente com uma aproximação conceitual, é preciso aplicar as estratégias e senti-las na pele.

Recordando, os recursos para ajudá-lo a combater o apego são:

1. Ative o Espártaco que existe em você (pág. 50). 52
2. Evite os lugares onde não seja bem-vindo ou em que possam prejudicá-lo (pág. 51). 54
3. A abstinência é um sofrimento útil que ajuda a desapegar-se (pág. 52). 55
4. Listas de libertação pessoal (pág. 54). 57
5. Diminua o poder que você atribui às necessidades irracionais (pág. 56). 59
6. "A afeição" não é um "vício" (pág. 68). 71
7. Diferencie "paixão harmoniosa" de "paixão obsessiva" (pág. 69). 72
8. Enfrente o desejo (pág. 71). 74
9. Disciplina e moderação: dois fatores antiapego (pág. 72). 76
10. Identifique o medo que impede o desapego (pág. 78). 82
11. Aceite o pior (pág. 79). 83
12. Enfrente o medo (pág. 81). 85
13. Confie em você (pág. 82). 87
14. Encontre a si mesmo (pág. 91). 96
15. Seja anônimo (pág. 92). 97
16. Livre-se dos rótulos que carrega nas costas (pág. 93). 98
17. Declaração em defesa da identidade pessoal (pág. 95). 99
18. Ter sem possuir (pág. 100). 105

19. Não deixe que as coisas o dominem (pág. 101).
20. Transforme-se em um banco de névoa (pág. 102).
21. A paisagem como meta (pág. 104).
22. Declaração de autonomia afetiva: "Você não é responsável pela minha felicidade" (pág. 104).
23. Exploração e ensaio do comportamento (pág. 112).
24. O medo irracional de perder o controle (pág. 113).
25. O espírito de rebeldia contra a autoridade castradora (pág. 114).
26. Constatar que nada é permanente (pág. 127).
27. Viajar sem sair do lugar (pág. 129).
28. Sonhar não é delirar (pág. 129).
29. Erradicar o egocentrismo (pág. 131).
30. A vida prazerosa como fonte de bem-estar (pág. 133).
31. Eliminar as deficiências (pág. 141).
32. Caminhar no vazio (pág. 142).
33. O poder libertador do tédio (pág. 143).
34. A vida gratificante como fonte de bem-estar (pág. 144).
35. Um antídoto: os ensinamentos do mestre Eckhart (pág. 152).
36. Deixe para lá (pág. 154).
37. A vocação não precisa de obsessão (pág. 155).
38. A vida significativa como fonte de bem-estar (pág. 155).

Revise-os, pratique-os e incorpore-os à sua vida. O desapego é um aprimoramento contínuo que o fará sentir-se cada dia mais forte e mais livre. Quanto mais apegos conseguir eliminar, mais perto estará de você mesmo.

# APÊNDICE

## A QUE NOS APEGAMOS?

Embora os livros sobre dependências comportamentais se refiram apenas a alguns tipos de apego, o leque de possibilidades vai muito além. Para exemplificar, apresentarei uma lista de apegos prováveis para você ter uma referência no dia a dia. Essa lista, é óbvio, não é completa, tem apenas caráter informativo.

### 1. O APEGO ÀS PESSOAS A QUEM AMAMOS OU ADMIRAMOS

Esse é um dos apegos mais comuns: cônjuges, amigos, filhos, pais, professores. Se somos vulneráveis (presas de imaturidade, insegurança, ambição), qualquer pessoa que nos ofereça prazer, segurança ou ajuda em nossos projetos pessoais é fonte potencial de dependência.

Pouco a pouco, o outro começa a se tornar imprescindível para sua vida e seu bem-estar. Muitas vezes, o apego se disfarça de amor e então você pode criar uma dependência emocional que o prenderá ao vínculo de maneira doentia. O apego aos outros o impedirá de ser como é. Quando a pessoa que você "ama" está ausente, seu desempenho não é bom em nenhuma área, pois se sente incompleto e tem medo de perdê-la ou de que lhe aconteça algo de ruim. Se acha que não pode viver sem alguém, não importa o parentesco nem os sentimentos que tenha em relação a esse indivíduo, você sofre de dependência afetiva e fará qualquer coisa para preservar sua fonte de apego. Não existe amor se há apego, somente necessidade do outro.

## 2. O apego à aprovação/reputação social

Sentir-se motivado pelo pertencimento é normal. Querer conviver com as pessoas e estabelecer vínculos, ou simplesmente que nos aceitem, faz parte do comportamento humano; alguns cientistas afirmam até que é uma necessidade inata. O apego à aprovação é outra coisa. É a "necessidade" de: a) sentir-se reconhecido e admirado por todas as pessoas importantes de uma comunidade (fama, aplausos, prestígio); e b) evitar a rejeição, a zombaria ou a não aceitação. São duas vulnerabilidades entrelaçadas que nos deixam especialmente fracos nas relações interpessoais. De fato, as pessoas que são vítimas desse apego são incapazes de ser naturais e espontâneas porque sempre procuram fazer o que se espera delas. Tentam ficar bem com todo mundo e, se possível, não se opor a nada. São movidas pelo pensamento de que não podem viver sem a aceitação dos outros e fazem qualquer coisa para manter uma "boa reputação" e evitar a crítica social. A aprovação é uma droga legal e uma forma de controle social.

O apego ao reconhecimento leva as pessoas a desejar o impossível: que o mundo inteiro goste delas. Mas, na realidade, não importa o que elas façam, metade das pessoas não gostará delas ou simplesmente as ignorará. Um mestre espiritual dizia que, se há uma coisa que Deus não pode fazer, é agradar a todo mundo. Quando atendo algum paciente com esse problema, costumo ler para ele um pequeno relato de Anthony de Mello:

> O mestre parecia absolutamente insensível ao que as pessoas pensavam dele. Quando seus discípulos lhe perguntaram como conseguira atingir tal grau de liberdade, ele deu uma gargalhada e disse: "Até os vinte anos de idade, nunca me preocupei com o que as pessoas pensavam de mim.

A partir dos vinte, preocupava-me constantemente com o que os vizinhos pensam. Mas um dia, depois dos cinquenta, descobri que eles raramente pensavam em mim".[109]

Uma variação da necessidade de aprovação é o apego à posição social e às credenciais pessoais associadas a ela (sobrenome, ascendência, classe social, história familiar). Tive uma paciente cujo maior orgulho era o fato de seu pai ter sido marquês; isso a fazia achar que todos tinham de cortejá-la. Em consequência, se não recebia o elogio esperado, ficava "indignada". Certo dia, sugeri a ela que não desse tanta importância ao título nobiliário de seu pai e que o ideal seria desapegar-se dele para viver mais tranquila e igualar-se ao resto da humanidade. Foi a última vez que a vi.

### 3. O APEGO ÀS POSSES MATERIAIS E À MODA

Os indivíduos que atribuem seu valor pessoal às posses materiais geralmente são pobres de espírito. Precisam preencher com coisas externas o vazio interior. Uma casa pode ser "legalmente sua", mas, se a considera "emocionalmente sua", ou seja, se ela o define e contribui para elevar seu valor pessoal, você com certeza já está nos pantanosos terrenos do apego. E isso nem sempre é evidente. O apego às posses materiais torna você superficial e especialmente frágil, porque todo objeto se desgasta e se acaba; e, como eu disse anteriormente: se ele se acaba, você também se acaba. Essa é a cruel realidade dos dependentes em geral: *se a pessoa vale pelo que tem e o perde, ela também perde o valor*. A regra dos que se apegam a objetos é: "Eu sou o que tenho". Li em algum lugar que um homem comprou um quadro extremamente valioso e, em vez de pendurar a tela, pendurou o recibo de compra. Pense nos viciados em shopping. Aqueles que, se não consumirem, estão fora. Facundo Cabral, cantor e poeta argentino, dizia: "Fuja dos que compram o que não necessitam com o dinheiro que não têm para agradar a quem não vale a pena". Não estou me referindo apenas aos consumidores desenfreados, mas também ao aspecto psicológico de se julgar "excepcional", "atual", "eleito" ou "especial" só por estar usando um produto da última moda.[110] Fazer compras relaxa e distrai, assim como ir ao cinema nos diverte. No entanto, para muita gente, o acúmulo de objetos materiais é mais do que puro entretenimento: é a aplicação da regra "você vale pelo que tem". A compra compulsiva é uma dependência comportamental classificada que precisa de tratamento.[111] O sociólogo Bauman[112] afirma que a cultura consumista cria nas pessoas a preocupação de "estar sempre na dianteira". Ou seja, o "pelotão da moda", o "grupo de referência" ou "os que se destacam", que determinam o êxito ou o fracasso dos produtos.

Um paciente tinha mais de cinquenta relógios, que usava conforme a ocasião e a impressão que queria causar nos outros. Não os colecionava, incorporava-os à sua pessoa. Uma vez, o cofre onde os guardava quebrou e ele preferiu cancelar uma reunião importante de negócios porque não podia ir com o relógio "adequado". Outra paciente tinha um conjunto de colar e brincos de pérolas autênticas que era seu bem mais precioso. Apreciava tanto suas joias que sentia orgulho delas. Como já comentei anteriormente, muita gente, além de possuir coisas, cria um "vínculo afetivo" com elas. Nesse caso, posso dizer que minha paciente "amava" seu colar. O mais interessante é que, quando o usava, ele parecia se apoderar dela, como num filme de terror: sua personalidade mudava, ela ficava mais extrovertida, mais atrevida e segura de si. Não era uma simples joia.

## 4. O APEGO ÀS IDEIAS

Alguém disse que não há nada mais perigoso que uma ideia, quando é a única que se tem. É claro que existem preferências e posições definidas em diferentes situações da vida, e é até natural que defendamos nossos pontos de vista. É o jogo da mente que raciocina e se expõe aos fatos. O problema do "apego às ideias" não é o fato de o indivíduo defender suas crenças, mas sim a relação que ele estabelece com elas e que se fundamenta em dois aspectos não saudáveis: a) a pessoa se sente dona da verdade absoluta; e b) identifica-se com a crença de tal maneira que é incapaz de renunciar a ela. É um refúgio cognitivo ao qual se agarra com unhas e dentes, porque disso depende sua estabilidade emocional. Esse apego é absurdo: "Eu sou minhas ideias". Qualquer semelhança com o fanatismo não é mera coincidência. Para o apegado às ideias, as outras visões de mundo estão erradas por definição e só existe uma verdade: a sua. Trata-se de um grande conflito de adaptação.

Certa vez me contaram uma piada: um homem estava se afogando no rio Magdalena. Dois pescadores que passavam por ali, ao ver o que acontecia, jogaram-lhe um salva-vidas, mas o homem não o pegou, apesar de estar a poucos centímetros dele. Os pescadores notaram que o homem parecia falar sozinho enquanto dava tapas no ar. Quando se aproximaram dele com o bote, ouviram-no dizer: "Estou te engolindo, Magdalena, estou te engolindo!". O autoengano sempre nos prega alguma peça e se infiltra por todo lado. É mais saudável dar o braço a torcer quando a realidade se impõe e aceitar as coisas como são do que distorcer a informação e evitar os fatos.

Dois vendedores católicos estavam trabalhando em frente a um bordel; quando viram um rabino entrar furtivamente na casa, entreolharam-se e disseram: "O que se pode esperar de um rabino?". Logo depois entrou um pastor protestante e eles comentaram a mesma coisa: "O que mais se pode esperar de um protestante?". Então entrou um padre com o rosto disfarçado por um cachecol, e um cochichou ao outro: "Alguma das meninas que trabalham ali deve estar muito doente, não acha?".[113]

Se não houver outras opiniões válidas, o mundo vai girar ao seu redor e você se tornará insuportável e esquivo. Será como um patriarca fora de época, rígido e sempre com as mesmas ideias. Lembre-se de que defender o que pensamos é normal: *fazer isso com paixão harmoniosa é uma atitude sábia; a paixão obsessiva é coisa de néscios.*

### 5. O apego à virtude

Buscar obsessivamente a santidade, a iluminação ou a autorrealização, em qualquer área, é apego à virtude. É ser escravo da consciência, dizia Anthony de Mello. Como já disse antes, quando extrapolamos nossos limites e queremos ajudar os outros compulsivamente, além de nossa real capacidade, entramos num processo de *burnout*. A doação baseada no sacrifício ou na bondade poderá provocar um curto-circuito se dependermos dela para sermos felizes. A virtude é um ponto médio (Aristóteles), é caminhar com entusiasmo e paixão harmoniosa em busca de nossos objetivos, sem nos excedermos. A obsessão por Deus afasta Deus; a obsessão pelo amor afasta o amor; a obsessão pela felicidade leva à infelicidade. Essa contradição é o resultado de qualquer dependência psicológica. Se passarmos do limite, a compulsão por "ser mais" nos induzirá a ser menos. É bom lembrar que o erro não é maldade. O fato de se enganar não elimina seus valores nem o torna "mau" ou indigno. É esse medo que, muitas vezes, sustenta o apego à virtude e a transforma em um peso, quando deveria ser motivo de alegria e realização. Qualquer prática, inclusive a altruísta, deve ser relativa. O Sutra do Diamante afirma:

> Ao praticar a caridade, a pessoa que busca a iluminação precisa ser desapegada. Ou seja, deve fazer o bem sem levar em conta as aparências, sem dar importância a sons, odores, habilidades, gostos ou qualquer qualidade. A caridade tem de ser praticada sem apego. Por quê? Porque, nesse caso, seu mérito será incalculável.[114]

Às vezes, o apego à virtude esconde uma falsa humildade. O objetivo não é crescer, mas sim satisfazer o ego (eu possessivo) com elogios e adulações: "O grande líder espiritual!", "O grande homem!" ou "O melhor cidadão!". Essa armadilha da mente é muito comum, por isso devemos cultivar sempre uma modéstia serena.

### 6. O apego às emoções

Darei dois exemplos: o apego ao sofrimento e o apego à felicidade. Uma pessoa pode *se afeiçoar ao sofrimento* porque não se sente merecedora da felicidade e por isso se castiga, ou simplesmente por puro condicionamento social: "Para se sentir bem, você tem de se sentir mal" ou "A alegria deve estar sob controle". Uma educação que prega que a alegria em excesso é potencialmente perigosa, porque podemos nos acostumar com ela, é um incentivo a patologias. Quando isso acontece, o apego ao sofrimento se transforma em "personalidade sofredora" e faz com que a pessoa fique presa à dor e evite o prazer porque é sua obrigação. O masoquismo moral é um exemplo desse "prazer doloroso" ou "dor prazerosa".

Ao lado desse panorama emocionalmente desolador, de considerar qualquer tipo de alegria "suspeita", está o outro extremo: pessoas *apegadas à felicidade*. Não suportam o mínimo sofrimento e o evitam a qualquer custo. Buscam o prazer obsessivamente e criam uma fobia a qualquer situação incômoda. O que orienta seu comportamento são as expressões "eu gosto" ou "eu me sinto bem", como se a principal e única motivação[115] fosse a busca irracional da "euforia eterna". Ser feliz torna-se uma obsessão, uma dependência ou obrigação. Onde fica o direito de estar triste?

Uma pessoa desapegada transita entre as duas águas emocionais com naturalidade: há dias em que sofre os rigores da tristeza e outros em que sobe no carrossel da alegria. Não precisamos estar contentes o tempo todo, tampouco devemos fazer do sofrimento um estilo de vida. Podemos ser escandalosamente felizes sem estar apegados à felicidade e também enfrentar o sofrimento com integridade, sem convertê-lo em virtude.

### 7. O APEGO AO JOGO

Uma das chaves do vício em jogo é a "ilusão de controle" que temos ao praticar essa atividade, ou seja, achamos que podemos "influir" sobre as máquinas de fliperama, a roleta, os dados, as cartas ou qualquer outro tipo de diversão. As características mais comuns desse tipo de dependência são gastar mais dinheiro que o planejado, apostar para recuperar o dinheiro perdido e continuar jogando se perder. Quando isso acontece, a pessoa já passou do jogo normal, recreativo e sem riscos, para o apego.

A ilusão de controle é uma forma de pensamento mágico: acreditamos que, se realizarmos determinados ritos, a sorte se voltará a nosso favor. Muitas vezes, o que move o jogador é o desafio de ganhar e atingir um objetivo (sentir-se poderoso e triunfante), como é o caso dos videogames: superar a programação da máquina e derrubar as probabilidades.[116] O que leva as pessoas a se aprisionar nessa dependência? A busca por distração, por ampliar seu leque de amizades, ganhar dinheiro, esquecer os problemas, divertir-se ou simplesmente ter um estímulo forte.[117] As consequências do apego ao jogo geralmente são desastrosas: a pessoa fica endividada, com conflitos familiares e eventualmente até judiciais, distúrbios emocionais (culpa, depressão, ansiedade), negligência nas responsabilidades básicas, desgaste no casamento, perda dos relacionamentos sociais, entre outras. Se pusermos na balança as vantagens e desvantagens, não é difícil chegar a uma conclusão. Há muitas maneiras saudáveis de ter emoções e satisfações semelhantes às proporcionadas pelo jogo sem pagar um custo psicológico e econômico tão alto.

## 8. O APEGO À PERFEIÇÃO

Não estou defendendo o desleixo ou a ineficiência, mas uma eficiência sem estresse. Tampouco me refiro a tempos de guerra nem à luta pela sobrevivência, em que devemos estar com todas as antenas ligadas, mas sim ao peso de ter de ser sempre eficaz e competente. Quando somos crianças, nossos pais nos dão uma lupa e dizem: "Observe-se com ela nos mínimos detalhes, para que amplie seus erros e os corrija!". Minha pergunta é simples: e quanto aos acertos? Onde está a outra lupa? Anulemos essa punição aceita socialmente: *errar não é fracassar*.

Com essa via-crúcis na mente, é natural que a excelência se transforme em mandato social. Um adolescente me disse: "Não me basta ser feliz, quero ser o melhor". Quando lhe perguntei em que atividade ele queria se destacar, respondeu: "Não sei, qualquer coisa, mas tenho de ser o melhor". Com o tempo, o medo de cometer erros e ficar abaixo dos gênios (que não são tantos assim) se converte em perfeccionismo e autoexigência, muito difíceis de superar.

Desça das nuvens e procure fazer as coisas bem e com paixão harmoniosa. Assim, quando menos esperar, terá êxito. Se quiser que tudo seja perfeito, encontrará o primeiro obstáculo: *você não o é*. Talvez não tenha autoridade moral para exigir tanto.

Nasrudin (personagem mítico da tradição sufi) conversava com um amigo:

– Então, nunca pensou em se casar?

– Sim, pensei – respondeu Nasrudin. – Quando era jovem, decidi procurar a mulher perfeita. Atravessei o deserto, cheguei a Damasco e conheci uma moça espiritual e linda, mas ela não sabia nada das coisas deste mundo. Continuei viajando, até encontrar uma mulher versada nos reinos material e espiritual; era bem completa, mas não bonita. Então resolvi ir até o Cairo, onde, finalmente, achei uma bela mulher, religiosa e conhecedora do mundo material, muito inteligente e perspicaz.

– E por que não se casou com ela?

– Ah, meu amigo! Infelizmente, ela também queria um homem perfeito.[118]

## 9. O apego ao trabalho

O apego ao trabalho implica uma absorção mental e física pela atividade laboral.[119] O trabalho vai interferindo na vida normal com a família, os amigos, os filhos e o cônjuge. Tudo se contamina. A pessoa sente que perdeu o controle, como se um vírus tivesse se apoderado de sua vontade. Trabalhar passa a ser o mais importante, a única coisa que vale a pena e que justifica sua existência. O que origina esse vício socialmente aceito e apreciado? São conceitos supervalorizados de dinheiro, sucesso, poder ou prestígio e, às vezes, um sentido exagerado de dever que obriga ao sacrifício.

O impulso viciante de trabalhar anula a capacidade de sentir prazer. E, quando digo "perda do prazer", não me refiro apenas ao desfrute da vida em geral, mas também e, paradoxalmente, ao do trabalho. Os apegados acabam sofrendo com o medo de fracassar, de perder a fonte de renda e com o clima ruim que criam à sua volta por causa do estresse que suportam. Em geral, fazem mau uso de seu tempo livre e ficam incomodados com o ócio e o descanso. Para eles, não trabalhar é "não produzir" e, portanto, é prescindível, supérfluo ou sem sentido. O que os move é um esforço contínuo que normalmente se transforma em fadiga crônica e irritabilidade.

É possível recuperar-se? Muitos conseguem reestruturar a vida em momentos de crise ou situações-limite. Quando o problema se torna crítico (em casos de doença, crise financeira, separação), tal como vimos na lição 1, os apegados descobrem que existem coisas tão ou mais importantes do que uma empresa ou o trabalho obsessivo. O "sentido de posse" deve se dirigir primeiramente a si mesmo.

## 10. O APEGO AO PASSADO E À AUTORIDADE

A tradição e a história que nos definem em grande parte (pessoal, familiar e social) não são negativas em si mesmas. Existem indivíduos "tradicionalistas" cuja mente é livre e flui com as mudanças, porque, embora respeitem sua tradição, não são escravos dela. O que vou abordar agora é o apego ao passado e à tradição, a fobia de mudanças, o culto ao que já passou e deveria ter sido superado. Se o passado nos martiriza em vez de nos ensinar, não serve para nada. Emerson[120] se perguntava a esse respeito: "As bolotas do carvalho são melhores do que a árvore? O pai é melhor que o filho, que é fruto do seu ser? Por que, então, essa adoração pelo passado?". Muitas vezes nos impingem ritos absurdos sem fundamento que repetimos sem questionar. O relato seguinte é um bom exemplo:

> Quando, toda tarde, o guru se acomodava para a prática do culto, sempre perambulava por ali um gato do *ashram*\* que desviava a atenção dos fiéis. Assim, o guru mandou que amarrassem o animal durante o culto vespertino. Por um bom tempo depois da morte do guru, continuavam amarrando o gato na hora da referida cerimônia. Quando o animal morreu, levaram outro gato ao *ashram* para poder amarrá-lo durante o culto da tarde. Séculos mais tarde, os discípulos do guru escreveram tratados eruditos sobre o papel que o gato desempenhava na realização de um culto autêntico.[121]

Tenho um amigo que viaja muito, mas na verdade nunca está nos lugares que visita. Ele passa o tempo fotografando, observa

---

\* Na antiga Índia, *ashram* era uma comunidade espiritual em que os sábios viviam tranquilos em meio à natureza. (N.T.)

a paisagem pelo olho do disparador de sua Canon ultramoderna e, quando volta do passeio, logo liga o computador, abre uma garrafa de vinho e fica apreciando as fotos, rindo e se divertindo. O problema é que, nesse tipo de procedimento, sempre ficam de fora o perfume, a brisa, a temperatura da pele e toda a estrutura sensorial que torna possível captarmos o lugar por inteiro. O olhar retrospectivo é uma coisa, mas perder a experiência de viver o aqui e agora é uma pena. É bem diferente ver uma foto asséptica dos Andes, mesmo que seja bonita, e estar no meio da neve, rindo com os companheiros de viagem, sentindo o sol no rosto e apreciando o céu azul sobre os picos branquíssimos. Meu amigo está preso ao passado, suas viagens são lembretes do que a memória lhe concede. Ele poderia tirar fotos "depois" e apreciar os momentos ao vivo e em cores, mas prefere fotografá-los e "recuperar" a informação mais tarde. Gosto não se discute.

Uma variação do apego ao passado e à tradição é cultuar a autoridade, curvar-se diante dela e cortejar a hierarquia, seja qual for. Conheço muita gente notável e inteligente que é dominada pelos que supostamente "sabem mais". Uma coisa é admirar, outra é se submeter. Se você tem que pedir permissão moral, psicológica e emocional para decidir por si mesmo ou é tomado de pânico quando precisa ir contra a tradição estabelecida, sofre de "apego à autoridade".

## 11. O apego à internet

As vantagens da internet são inegáveis, e, se não a utilizarmos, ficaremos à margem da sociedade atual. A questão se complica quando seu uso se torna incontrolável, interferindo na vida cotidiana. Como saber se você é viciado em internet? a) Dorme muito pouco, já que passa tempo demais na rede; b) negligencia outras atividades; c) as pessoas à sua volta se queixam pelo uso exagerado que faz da internet; d) pensa constantemente em "se conectar"; e) quando quer parar, não consegue. A sensação é a de que a rede tira um pouco de sua humanidade. Você pode dizer que só navega por alguns minutos, mas, na verdade, passa o dia inteiro pendurado na tela. E imagine se a internet sair do ar ou você for proibido de usá-la: terá uma síndrome de abstinência com todos os seus componentes.[122]

As pessoas com dificuldade de se relacionar socialmente, ou tímidas, são muito propensas a cair nesse apego, uma vez que a internet permite que permaneçamos ocultos. Ainda assim, os fóbicos sociais que sofrem de apego à tecnologia apresentam sintomas mais agudos, porque, como não se expõem às situações temidas, mantêm o medo vivo e ativo. Quem se sente sozinho ou tem conflitos conjugais também encontra na internet um refúgio para seus problemas, embora ela não os resolva e às vezes até os agrave. As dependências ou apegos às novas tecnologias já foram reconhecidos, classificados e investigados na literatura científica em suas diversas modalidades, como o telefone celular ou os videogames, entre outros.[123]

## 12. O APEGO AO CORPO E À BELEZA

A fantasia dos dependentes da beleza e do corpo é parar o tempo e se manter fisicamente imortal. Trata-se de uma expectativa infantil e patrocinada por um consumismo que oferece milhares de técnicas contra o envelhecimento e as doenças relacionadas a ele. Cito algumas: academias especializadas, ortorexia (obsessão por comida saudável), balões gástricos, cremes redutores e maquiagens, potomania (obsessão por tomar água), Botox e preenchimentos, laser, Thermage e implantes de todo tipo. O cardápio é amplo e variado, além de unissex. O apego à beleza se origina na crença de que, se você não se enquadra nos padrões e na tendência estética predominante, deve ficar infeliz. Quando essa dependência se instala, a autopercepção se distorce: alguns gramas a mais ou uma protuberância em lugar inadequado podem levar a uma desestabilidade mental. Contribui para isso uma ideia insana muito difundida na sociedade: "Você vale por sua aparência".

Não digo que não devamos nos importar com a aparência física ou sermos desleixados; o que não podemos é exagerar e ficarmos desesperados porque fugimos aos padrões estéticos impingidos pela sociedade. Se você olhar à sua volta, perceberá que a maioria das pessoas não escolhe para parceiro(a) apenas adônis ou divas, mas sim gente comum, feia ou normal, com uma ou outra mácula ou "imperfeição".

Embora os estilistas não concordem, há feios lindos e feias lindas. Essa aparente contradição se deve ao toque de simpatia, à desenvoltura, ao humor, à inteligência, à elegância, à sensualidade e ao olhar, entre outros atributos, e não a um corpo esculpido por um cirurgião.

Pode-se dizer que uma pessoa é apegada à beleza quando passa muito tempo pensando nisso, olhando-se no espelho com frequência em busca de algum "defeito", gasta demais com procedimentos estéticos, sente-se insegura com sua silhueta e, quando avalia os outros, sempre toma por base a aparência física. Se você dá valor excessivo à beleza exterior, talvez esteja se esquecendo do que acontece no seu interior. Pense nisso.

## 13. O APEGO AO DINHEIRO

Uns colecionam objetos; outros, dinheiro. No filme *Wall Street 2: o dinheiro nunca dorme*, um jovem pergunta a um milionário quais são seus limites. O homem pensa um pouco, sorri e diz: "Mais". Conheço uma infinidade de pessoas que fazem do dinheiro um vício, simplesmente porque ele se tornou um fim em si mesmo. Em psicologia se diz que o dinheiro é um "fortalecedor generalizado", pois nos permite ter acesso a uma infinidade de gratificações subsidiárias. De qualquer forma, devido ao poder social que ele gera, pesquisas no mundo inteiro demonstram que o dinheiro não traz felicidade.[124]

O que cria o apego ao dinheiro? Três fatores contribuem para isso: ambição desmedida, ânsia de poder/posição social e medo de perder os privilégios. Quando alguém cai no apego ao dinheiro, automaticamente surge o medo de ser pobre. O grande pavor que obscurece a mente dos viciados em riqueza é algum dia terminar na rua sem um tostão. Em minha experiência clínica, descobri que muitas dessas pessoas são especialmente avaras e, quando alguém lhes pergunta por que são assim, elas respondem: "As grandes fortunas se fazem poupando até os centavos". Ou, se lhes questionam: "Você não acha que já tem dinheiro demais?", declaram: "Nunca é demais".

Os apegados ao dinheiro sofrem. Acabam paranoicos, acreditam que todo mundo é explorador, se afastam dos outros e, obcecados por cuidar de tudo o que têm e proteger seus bens, deixam de desfrutar a vida com tranquilidade, como acontece com os dependentes do trabalho. O pior é o momento em que descobrem que o dinheiro não compra tudo, geralmente quando ficam doentes ou quando se apaixonam por alguém que não se vende por preço algum.

A equação que norteia a vida deles é: dinheiro + poder + sucesso = celebridade. Por trás de todo apegado ao dinheiro existe um reizinho ou um ditador em potencial que gosta de exercer autoridade. Seu ego não resiste a dizer a si mesmo: "Eu sou importante". Khalil Gibran retrata muito bem as consequências da fama quando ela escapa ao nosso controle:

> Eu o vi, meu irmão, sentado no trono da glória. As pessoas se amontoavam à sua volta para clamar sua majestade, cantando louvores a suas façanhas e olhando-o como se estivessem na presença de um messias, com o espírito enlevado. E, enquanto você observava seus súditos, notei em seu rosto sinais de alegria, poder e triunfo, como se você fosse a alma do corpo deles.
>
> Mas, quando novamente ergui os olhos, notei-o perdido em sua solidão, em pé ao lado do trono, como um exilado que estende a mão em todas as direções, pedindo aos espíritos invisíveis misericórdia e ternura. Reivindicando um refúgio, mesmo que ali encontrasse apenas calor e amizade.[125]

# Bibliografia e notas

1. PRESCOT, J. (2009). Disponível em: http://www.hbgrotary.org/goodnews-reporting/alice-mackenzie-swaims-poetry-is-universal-timelessextraordinary. Acesso em: 16 jan. 2012.
2. BAREAU, A. *Buda: vida y pensamiento*. Madri: Edaf, 2000.
3. BOWLBY, J. *La separación afectiva*. Buenos Aires: Paidós, 1985.
_____. *La pérdida afectiva*. Buenos Aires: Paidós, 1990.
4. SAHDRA, B. K.; SHAVER, P. R.; BROWN, K. W. A scale to measure nonattachment: A buddhist complement to western research on attachment and adaptive functioning. *Journal of Personality Assessment*, 92, p. 116-127, 2010.
5. BUDDAHADASA, A. *La causa del sufrimiento*. Buenos Aires: Kier, 2001. Ver também *Wikipedia*. Disponível em: http://en.wikipedia.org/wiki/Ta%E1%B9%87h%C4%81. Acesso em: 17 fev. 2010.
6. VIMALARAMSI, B. (2006). Disponível em: http://www.dhammasukha.org/espanol/Estudio/Articulos/series1-spa.htm. Acesso em: 12 dez. 2011.
7. Algumas correntes orientais radicais defendem que, se conseguirmos prescindir radicalmente do desejo, "estaremos perto dos deuses". E talvez tenham razão, embora eu duvide que alguém tenha conseguido isso alguma vez sem deixar de ser humano. Um mantra dos *Upanishads* confirma esse ponto de vista e aconselha a não desejar de forma absoluta:

"Quando todos os desejos são anulados, o mortal se torna imortal, é o Brama". No entanto, os psicólogos recomendam que desejemos sem perder o controle, sem nos prender à emoção do prazer nem querer vivenciá-la de novo teimosamente.

8. O conceito de apego budista e o de dependência têm aspectos em comum. Por uma questão de espaço, cito apenas três pontos de concordância: (1) uma definição comumente aceita em psicologia do termo "dependência" se origina do inglês *addiction*, que significa "submissão de alguém a um patrão ou amo". Esse é um dos grandes princípios budistas que definem o apego (ver ALONSO FERNÁNDEZ, F. *Las otras drogas*. Madri: Temas de Hoy, 1996); (2) O *Manual diagnóstico e estatístico de transtornos mentais* (DSM-IV-TR) define *as alterações do controle de impulsos* como: "A dificuldade para resistir a um impulso, uma motivação ou uma tentação de fazer algo prejudicial a si próprio ou aos outros". Qualquer semelhança com o conceito de apego não é mera coincidência. (Ver: LOPEZ IBOR, J.; VALDEZ, M. *DSM-IV-TR*. Barcelona: Masson, 2002. Ver também: GRANT, J. E.; DONAHUE, C. B.; ODLAUG, B. L. *Treating impulsive control disorders: A cognitive-behavioral therapy program*. Nova York: Oxford University Press, 2011.); (3) hoje em dia, já existe um acordo quanto aos fatores essenciais que definem a dependência. São basicamente quatro: (a) um forte desejo ou um sentimento compulsivo de agir de determinada maneira, sobretudo quando há obstáculos para isso; (b) incapacidade de autocontrole; (c) mal-estar quando não se consegue pôr em prática o que se deseja; e (d) persistir no comportamento, apesar das consequências negativas. Se analisarmos a fundo a concepção

budista, descobriremos que Buda se referia claramente aos quatro fatores citados. (Ver: Gosoop, M. (ed.). *Relapse and addictive behaviour*. Londres: Routledge, 1989. Ver também: Echeburúa, E.; Corral, P.; Amor, P. J. El reto de las nuevas adiciones: objetivos terapéuticos y vías de intervención. *Psicología conductual*, 13, p. 511-525, 2005.)
9. Ricard, M. *En defensa de la felicidad*. Barcelona: Urano, 2005.
10. De Mello, A. *Escritos esenciales*. Bilbao: Sal Terrae, 2000.
11. Rahula, W. *Lo que el Buddha enseñó*. Buenos Aires: Kier, 2008.
12. Dhiravamsa, V. R. *La vía del no apego*. Barcelona: La Liebre de Marzo, 2010.
13. Glosario sánscrito. Disponível em: http://es.scribd.com/doc/12378103/Glosario-Sanscrito. Acesso em: 29 mar. 2012.
14. Martin, C. *Bhagavad Gita*. (IV, 20). Madri: Trotta, 2002.
15. Alfonso Fernández, F. *Las nuevas adicciones*. Madri: Tea Ediciones, 2003. Ver também: Echeburúa, E.; De Corral, P. Las adicciones con o sin droga: una patología de la libertad. In: Echeburúa, E.; Labrador, F. J.; Becoña, E. (coords.). *Adicción a las nuevas tecnologías*. Madri: Pirámide, 2009.
16. Yinming, H. *Cultivando las raíces de la sabiduría*. Madri: Arca de la Sabiduría, 2002.
17. Bauman, Z. *44 cartas do mundo líquido moderno*. Rio de Janeiro: Zahar, 2011.
18. Carr, N. *Superficiales*. Buenos Aires: Taurus, 2011.
19. Yen, J. et al. Psychiatric symptoms in adolescents with Internet addiction: Comparison with substance use. *Psychiatry and Clinical Neurosciences*, 62, p. 9-16, 2008. Ver também: Shaw, M.; Black, D. W. Internet addiction definition, assessment, epidemiology and clinical management. *CNS-Drugs*, 22, 2008.

20. NIETZSCHE, F. *A genealogia da moral*. Tradução de Mário Ferreira dos Santos. Petrópolis: Vozes, 2009.
21. DRAGONETTI, C.; TOLA, F. *Udana* (VII, 9). Madri: Trotta, 2006. A partir daqui, para me referir a essa obra, usarei a sigla UD.
22. DESHIMARU, T. *Preguntas a un maestro zen*. Buenos Aires: Kairós, 2008.
23. MASLOW, A. H. *Motivation and personality*. Nova York: Harper & Row, 1954. Ver também: SHELDON, K. M. et. al. What is satisfying about satisfying events? Testing 10 candidate psychological needs. *Journal of Personality and Social Psychology*, 80, p. 235-339, 2001. E ainda: DECI, E. L.; RYAN, R. M. *Handbook of self-determination*. Rochester: University of Rochester Press, 2002. Hoje em dia, os especialistas em motivação sugerem que há pelo menos quatro tipos de necessidades psicológicas vitais, que nos dão conforto e bem-estar, se forem satisfeitas de forma adequada (alguns afirmam que são inatas): segurança/proteção (sentir-se cuidado ou protegido), competência/eficácia (sentir-se capaz), vínculo com os outros (sentir-se bem relacionado e respeitado), autonomia/autenticidade (sentir-se dono de si mesmo). O importante é que não saiam de nosso controle e se transformem em apegos. Quando não temos uma boa educação, podemos converter qualquer uma dessas quatro necessidades "normais" em dependências "doentias": o cuidado/proteção pode virar superproteção; a competência/eficácia pode se tornar ambição desmedida; a ligação saudável com os outros pode gerar uma necessidade de aprovação; e a independência emocional pode se aproximar perigosamente do narcisismo. O que eram necessidades construtivas e vitais acaba produzindo um desastre em matéria de adaptação. O mesmo acontece se nos excedermos nas necessidades biológicas e as conver-

termos em vícios ou alterações. Por exemplo: quando transformamos o ato de dormir em preguiça, a alimentação em um problema (anorexia ou bulimia) e beber água em vício, com o objetivo de perder peso (potomania). Somos a única espécie que distorce tanto a natureza.

24. ELLIS, A. *Sentirse mejor, estar mejor y seguir mejorando*. Bilbao: Ediciones Mensajero, 2005.
25. CALAZANS, J. C. *Dhammapada*. (Sutra, 165). Madri: Esquilo, 2007. A partir daqui, quando me referir a essa obra, usarei a sigla DH. Se quiser, consulte também uma tradução mais simples e acessível. SERRA, E. *El Dhammapada*. Barcelona: Padma, 2008.
26. NEUMAN, C. Substance abuse. In: LEAHY, R. L. (ed.) *Contemporary cognitive therapy*. Nova York: The Guilford Press, 2004. RUILOBA, J. V.; CERCÓS, C. L. *Tratado de psiquiatría* (vol. I). Barcelona: Ars Medica, 2005.
27. DE MELLO, A. *Un minuto para el absurdo*. Bilbao: Sal Terrae, 1993.
28. LÓPEZ-IBOR ALIÑO, J. J.; VALDEZ, M. *DSM-IV-R. Manual diagnóstico y estadístico de los trastornos mentales*. Barcelona: Masson, 2002.
29. DH, p. 41.
30. CALLE, R.; VÁZQUEZ, S. *Los mejores 120 cuentos de las tradiciones espirituales de oriente*. Madri: Arca de la Sabiduría, 1999.
31. DALAI LAMA. *Los siete pasos hacia el amor*. Barcelona: Grijalbo, 2008.
32. Entelequia. Parábola sufi, disponível em: http://laetus.over--blog.es/170-categorie-10888884.html. Acesso em: 16 ago. 2011.
33. Glosario sánscrito. Disponível em: http://es.scribd.com/doc/12378103/Glosario-Sanscrito. Acesso em: 24 mar. 2012.

34. BAIGORRIA, O. *Buda y las religiones sin Dios*. Madri: Campo de Ideas, 2003.
35. NHAT HANH, T. *El milagro del mindfulness*. Barcelona: Paidós Ibérica, 2007.
36. DH, p. 251.
37. PERCY, A. *El coaching de Oscar Wilde*. Barcelona: Random House Mondadori, 2011.
38. DE MELLO, A. *El corazón del hombre*. Buenos Aires: Lumen, 1997.
39. VALLERAND, R. J. et. al. Passion and performance attainment in sport. *Psychology of Sport and Exercise*, 9, p. 373-392, 2008. Ver também: VALLERAND, R. J.; ZANNA, M. P. (eds.). On passion for life activities: The dualistic model of passion. *Advances in experimental social psychology*, 42, p. 97-193, 2010.
40. PHILIPPE, F. et. al. Passion for an activity and quality of interpersonal relationships: The mediating role of emotions. *Journal of Personality and Social Psychology*, 98, p. 917-932, 2010.
41. DECI, E. L.; Ryan, R. M. The "what" and "why" of goal pursuits: Human needs and the self-determination of behavior. *Psychological Inquiry*, 11, p. 227-268, 2000.
42. LAFRENIÈRE, M-AK. et al. On the costs and benefits of gaming: The role of passion. *Cyberpsychology and Behavior*, 12, p. 285-290, 2009. Ver também: RIP, B.; FORTIN, S.; VALLERAND, R. J. The relationship between passion and injury in dance students. *Journal of Dance Medicine and Science*, 10, p. 14-20, 2006. RATELLE, C. F. et. al. When passion leads to problematic outcomes: A look at gambling. *Journal of Gambling Studies*, 20, p. 105-119, 2004.
43. SUURVALI, H. et. al. Barriers to seeking help for gambling problems: a review of the empirical literature. *J Gambl Stud*, 25, p. 407-424, 2009.

44. MAFFESOLI, M. *Iconografías*. Barcelona: Editorial Península, 2008.
45. BERCHOLZ, S.; KHON, S. C. *La senda de Buda*. Barcelona: Planeta, 1994.
46. DH, p. 80.
47. Glosario sánscrito. Disponível em: http://es.scribd.com/doc/12378103/Glosario-Sanscrito. Acesso em: 29 mar. 2012.
48. SPINOZA, B. de. *Ética*. Belo Horizonte: Autêntica, 2009.
49. DH, p. 214.
50. YINMING, H., op. cit., 2002.
51. TRUNGPA, C. Y. *La verdad del sufrimiento*. Barcelona: Kairós, 2010.
52. BUDDHADASA, A. *La causa del sufrimiento*. Buenos Aires: Kier, 2001.
53. UD: II, p. 19.
54. SHAFFER, D. R. *Desarrollo social de la personalidad*. Madri: Thomson, 2002. Ver também: MORENO, B. JIMENEZ. *Psicología de la personalidad*. Madri: Thomson, 2007.
55. SWANN, W. B.; STEIN-SEROUSSI, A.; GIESLER, R. B. Why people self-verify. *Journal of Personality and Social Psychology*, 62, p. 392-401, 1992.
56. POURTOIS, J. P.; DESMET, H. *La educación posmoderna*. Madri: Editorial Popular, 2006.
57. KORNFIELD, J. *Camino con corazón*. Barcelona: La Liebre de Marzo, 2010.
58. NISARGADATTA, Sir MAHARAJ. *Yo soy eso*. Málaga: Sirio, 2008.
59. Poemas del maestro Dogen. (14/6/2010). Disponível em: http://teodotoypotino-budismo.blogspot.com/2010/12/poemas-delmaestro-dogen.html. Acesso em: 4 out. 2011.
60. O filósofo Julian Baggini diz a respeito: "Não é que o 'eu' não exista, mas ele é diferente do que supomos". Em seguida

afirma: "A solidez do 'eu' é uma ilusão, mas o 'eu' mesmo não é". (BAGGINI, J. *La trampa del ego*. Barcelona: Paidós, 2012.) No entanto, embora sejamos criaturas em constante evolução e mudança, temos a capacidade de nos reconhecer. Quando acreditamos que o "eu" é algo sólido, entramos no mundo do ego. Possuímos o dom da "metapercepção", ou seja, somos capazes de pensar sobre o que pensamos e sentir o que sentimos, por mais que estejamos nos modificando constantemente. O que nos mantém conectados ao nosso sentido de existência é o processo de auto-observação. Em outras palavras: existe um "eu" real, de uso convencional e linguístico, com o qual podemos nos dirigir aos outros e nos descrever (embora mudemos e nos transformemos): "Eu estou comendo, estou correndo, estou falando"; e existe um "eu" aparente, fixado teimosamente na memória, que percebe a si mesmo de modo compacto e imutável, perdeu seu ponto de referência real e tenta sobreviver ao tempo e se identificar com a posse de coisas e pessoas (ego). O "eu" não é uma substância nem uma coisa, é uma função do cérebro em ação.

61. CALLE, R. A. *Las parábolas de Buda y Jesús.* Madri: Heplada, 1992.
62. VÁZQUEZ, S.; CALLE, R. *Los mejores cuentos de las tradiciones de oriente.* Madri: Edaf, 2004.
63. HIGGINS, E. T. Self-Discrepancy: A theory relating self and affect. *Psychological Review*, 94, p. 319-340, 1987.
64. DE MELLO, A. *Quebre o ídolo.* São Paulo: Loyola, 1992.
65. SIM, Y.; PONS, P. P. *Cuentos tibetanos.* Madri: Ediciones Karma, 2005.
66. MANCUSO, V. *La vita autentica.* Milão: Raffaello Cortina Editore, 2009.

67. MORENO, B. JIMENEZ. *Psicología de la personalidad.* Madri: Thomson, 2007.
68. MELLONI, J. *Voces de la mística.* Barcelona: Herder, 2009.
69. RISO, W. *El camino de los sabios.* Barcelona: Planeta, 2010.
70. TUCCI, N. *Cuentos y proverbios chinos.* Madri: ELA, 2008.
71. DE MELLO, A. *O canto do pássaro.* São Paulo: Loyola, 2003.
72. KELLER, J.; RINGELHAN, S.; BLOMANN, F. Does skills-demands compatibility result in intrinsic? Experimental test of a basic notion proposed in theory of flow-experiences. *The Journal of Positive Psychology,* 6, p. 408-417, 2011.
73. Glosario sánscrito. Disponível em: http://es.scribd.com/doc/12378103/Glosario-Sanscrito. Acesso em: 10 out. 2011.
74. GRANT, J. E.; DONAHUE, C. B.; ODLAUG, B. L. *Overcoming impulse problems.* Nova York: Oxford University Press, 2011.
75. DE MELLO, A., op. cit., 2003.
76. FROMM, E. *Ética y psicoanálisis.* México: Fondo de Cultura Económica, 1997.
77. GALAMBOS, N. L.; BARKER, E. V.; TILTON-WEAVER, L. C. Canadian adolescents implicit theories of immaturity: What does "childish" mean? *New Directions for Child an Adolescent Development,* 100, p. 77-89, 2003. Ver: SCHRODT, R. G.; FITZGERALD. B. A. Cognitive therapy with adolescents. *American Journal of Psychotherapy,* 41, p. 402-409, 1987. Ver também: RISO, W. *Amar ou depender?* Tradução Marlova Aseff. Porto Alegre: L&PM, 2009.
78. BORNSTEIN, R. F. *The dependent patient.* Washington: American Psychological Association, 2005. Ver também: LEAHY, R. L. *Resistance in cognitive therapy.* Nova York: The Guilford Press, 2001.
79. GIBRAN, G. J. *La procesión.* Obras completas. Argentina: Adiax, S.A. Ediciones, 1979.

80. MONLAVA BELDA, M. A. (2009). Diccionario Pali-Español. Disponível em: http://www.bosquetheravada.org/pdf/diccionario_pali_espanol.pdf. Acesso em: 11 nov. 2011.
81. HURIE, A.; MUNDY, S.; CALLE, R. *Sutras de la atención y el diamante*. Madri: Arca de la Sabiduría, 2001.
82. Este pequeno relato é de minha autoria. Inspirei-me em uma frase do mestre Pierre Teilhard de Chardin que me impressionou profundamente: "A criação ainda não terminou, está sendo concluída neste instante". Ver: TEILHARD DE CHARDIN, P. *La energía humana*. Madri: Taurus, 1967. Ver também: TEILHARD DE CHARDIN, P. *O fenômeno humano*. São Paulo: Cultrix, 1995.
83. DE MELLO, A., op. cit., 1993.
84. BIDDULPH, D.; FLYNN, D. *Enseñanzas de Buda*. Barcelona: Blume, 2011.
85. RISO, W. *Terapia cognitiva*. Barcelona: Paidós, 2010. Ver também: RISO, W. *Pensar bien, sentirse bien*. Barcelona: Planeta, 2009.
86. DE MELLO, A., op. cit.,1997.
87. ONFRAY, M. *Las sabidurías de la antigüedad*. Barcelona: Anagrama, 2007.
88. BECK, J. S. *Cognitive therapy for challenging problems*. Nova York: The Guilford Press, 2005. Ver também: RISO, W. *Terapia cognitiva*. Barcelona: Paidós, 2009.
89. SIM, Y.; PONS, P. P., op. cit., 2005. Ver também: CALLE, R. A. *Las parábolas de Buda y Jesús*. Madri: Heplada, 1991.
90. NOLAN, B. V. et. al. Tanning as an addictive behavior: a literature review. *Photodermatology, Photoinmmunology & Photomedicine*, 26, p. 12-19, 2009.
91. Conto disponível em: http://cuentosqueyocuento.blogspot.com/2007/06/la-seguridad-del-molusco.html. Acesso em: 23 out. 2011.

92. WATTS, A. *El camino del zen*. Barcelona: Los Libros de Sísifo, 2003. A coleção da qual o autor extraiu este relato, chamada *Shobogenzo*, apresenta os textos do mestre Dogen Zenji sobre zen-budismo escritos entre 1231 e 1253. Esse foi o primeiro tratado sobre o tema elaborado em língua japonesa, e não em chinês. As edições modernas do *Shobogenzo* contêm 95 fascículos. Shobogenzo significa "Tesouro do Verdadeiro Olho da Lei".
93. BAREAU, A., op. cit., 2000.
94. SELIGMAN, M. E. P. *Felicidade autêntica*. Rio de Janeiro: Ponto de Leitura, 2009. Ver também: WATERMAN, A. S. Reconsidering happiness: a eudaimonist's perspective. *The Journal of Positive Psychology*, 3, p. 234-252, 2008.
95. FERNÁNDEZ ABASCAL, E .G. *Emociones positivas*. Madri: Pirámide, 2009.
96. BRANNON, L.; FEIST, J. *Psicología de la salud*. Espanha: Paraninfo, 2001.
97. DHIRAVAMSA. *Crisis y solución*. Barcelona: La Liebre de Marzo, 2008.
98. DE MELLO, A., op. cit., 1993.
99. RISO, W. *La sabiduría emocional*. Bogotá: Norma, 2004.
100. SIM, Y.; PONS, P. P., op. cit., 2005. Conto disponível em Legends & Folk Tales. (2009). Disponível em: http://legendsfolktales.blogspot.com/2009/05/caminando-sobre-las--aguas.html. Acesso em: 20 jun. 2010.
101. CAYUELA I DALMAU, R. ¿Deberíamos replantearnos nuestra manera de vivir? *Revista del Colegio Oficial de Psicólogos de Cataluña*, 228, p. 32-37, 2011.
102. SANDRIN, L. *Ayudar sin quemarse*. Madri: San Pablo, 2008.
103. SELIGMAN, M. E. P. *Aprenda a ser otimista*. Rio de Janeiro: Nova Era, 2005.

104. Maestro Eckhart. *Obras escogidas.* Barcelona: Edicomunicación, 1998. Ver: Ruta, C. *El maestro Eckhart en diálogo.* Buenos Aires: USM, 2006. Ver também: Vega, A. E. *El fruto de la nada.* Madri: Siruela, 1998.
105. Martin, C. (V, 12), op. cit., 2002.
106. Lao Tse. *El libro del tao.* Barcelona: RBA, 2002. Ver também, para uma introdução mais acessível: Dyer, W. W. *Vive en la sabiduría del tao.* Barcelona: Debolsillo, 2011.
107. Comte-Sponville, A. *O espírito do ateísmo.* São Paulo: Martins Fontes, 2006.
108. De Mello, A., op. cit., 1993.
109. De Mello, A. *¿Quién puede hacer que amanezca?* Bilbao: Sal Terrae, 1991.
110. Bauman, Z. *Vida para consumo.* Rio de Janeiro: Zahar, 2008.
111. Echeburúa, E. *¿Adicciones... sin drogas?* Bilbao: Desclèe de Brower, 2003. Ver também: Villarino, R.; Otero López, J. M.; Castro, R. *Adicción a la compra.* Madri: Pirámide, 2001.
112. Bauman, Z. *Vida para consumo.* Rio de Janeiro: Zahar, 2008.
113. De Mello, A., op. cit., 1991.
114. Hurie, A.; Mundy, S.; Calle, R., op. cit., 2001.
115. Bruckner, P. *A euforia perpétua.* São Paulo: Difel, 2002.
116. Suurvali, H.; Cordingley, J.; Hodgins, D. C. Barriers to seeking help for gambling problems: A review of the empirical literature. *J Gambl Stud,* 25, p. 407-424, 2009.
117. Echeburúa et al. *El juego patológico.* Madri: Pirámide, 2010.
118. Ara Lardinés, G. (2011). Disponível em: http://www.vidaemocional.com/index.php?var=11011701. Acesso em: 30 out. 2011.
119. Gorgievski, M. J.; Bakker, A. B.; Schaufeli, W. B. Work engagement and workaholism: comparing the self-employed

and salaried employees. *The Journal of Positive Psy[chology]*, 5, p. 83-96, 2010.
120. EMERSON, R. W. *Confianza en uno mismo.* Madri: [...] 2009.
121. DE MELLO, A., op. cit., 1982.
122. DOWLING, N. A.; QUIRK, K. L. Screening for Internet Depe[n]dence: Do the Proposed Diagnostic Criteria Differentiat[e] Normal from Dependent Internet Use? *Cyber Psychology & Behavior*, 12, p. 21-27, 2009.
123. TAKAO, M.; TAKAHASHI, S.; KITAMURA, M. Adictive personality and problematic mobile phone use. *Cyber Psychology & Behavior*, 12, p. 501-507, 2009. Ver também: GRÜSSER, S. M.; THALEMANN, M. D.; GRIFFITHS, M. D. Excessive computer game playing: evidence for addiction and aggression? *Cyber Psychology & Behavior*, 10, 2007.
124. DIENER, E.; DIENER, C. Most people are happy. *Psychological Science*, 7, p. 181-185, 1996. Ver também: PARK, N.; PETERSON, C.; RUCH, W. Orientations to happiness and life satisfaction in twenty-seven nations. *The Journal of Positive Psychology*, 4, p. 273-279, 2009.
125. GIBRAN, G.J. *Los tesoros de la sabiduría.* Madri: Edaf, 1996.

IMPRESSÃO:

**Pallotti**
GRÁFICA EDITORA
IMAGEM DE QUALIDADE

Santa Maria - RS - Fone/Fax: (55) 3220.4500
www.pallotti.com.br

and salaried employees. *The Journal of Positive Psychology*, 5, p. 83-96, 2010.
120. EMERSON, R. W. *Confianza en uno mismo*. Madri: Gadir, 2009.
121. DE MELLO, A., op. cit., 1982.
122. DOWLING, N. A.; QUIRK, K. L. Screening for Internet Dependence: Do the Proposed Diagnostic Criteria Differentiate Normal from Dependent Internet Use? *Cyber Psychology & Behavior*, 12, p. 21-27, 2009.
123. TAKAO, M.; TAKAHASHI, S.; KITAMURA, M. Adictive personality and problematic mobile phone use. *Cyber Psychology & Behavior*, 12, p. 501-507, 2009. Ver também: GRÜSSER, S. M.; THALEMANN, M. D.; GRIFFITHS, M. D. Excessive computer game playing: evidence for addiction and aggression? *Cyber Psychology & Behavior*, 10, 2007.
124. DIENER, E.; DIENER, C. Most people are happy. *Psychological Science*, 7, p. 181-185, 1996. Ver também: PARK, N.; PETERSON, C.; RUCH, W. Orientations to happiness and life satisfaction in twenty-seven nations. *The Journal of Positive Psychology*, 4, p. 273-279, 2009.
125. GIBRAN, G.J. *Los tesoros de la sabiduría*. Madri: Edaf, 1996.

IMPRESSÃO:

**Pallotti**
GRÁFICA EDITORA
IMAGEM DE QUALIDADE

Santa Maria - RS - Fone/Fax: (55) 3220.4500
**www.pallotti.com.br**